# 초능력 급수 한자를 사면 초능력 쌤이 우리집으로 온다!

## 초능력 쌤과 함께하는 한자 기출문제 풀이 강의 무료 제공

친구가 한자 급수를 땄다고 자랑을 해요. 저도 따고 싶은데 어떻게 하면 좋죠?

초능력 급수 한자로 공부하면 급수 한자뿐 아니라 교과서 어휘력도 키울 수 있다고!

한자에 어휘력까지요? 둘 다 어려운 것 같은데 혼자서 잘할 수 있을까요?

초능력 쌤만 따라오면 돼! 친절한 기출문제 풀이 강의를 들으면 자신감이 생길 거야!

와~! 초능력 쌤이랑 공부해서 저도 꼭 한자 급수도 따고, 어휘력도 키워 볼래요!

## 초능력 급수 한자 무료 스마트러닝 접속 방법

방법 1

동아출판 홈페이지 www.bookdonga.com에 접속하면 초능력 급수 한자 무료 스마트러닝을 이용할 수 있습니다.

방법 2

핸드폰이나 태블릿으로 **교재 표지나 본문에 있는 QR코드**를 찍으면 무료 스마트러닝에서 급수 한자 기출문제 풀이 강의를 이용할 수 있습니다.

# 초능력 쌤과 키우자, 공부힘!

## 국어 독해

예비 초등~6학년(전 7권)

- 30개의 지문을 글의 종류와 구조에 따라 분석
- 지문 내용과 관련된 어휘와 배경지식도 탄탄하게 정리

## 수학 연산

1학년~6학년(전 12권)

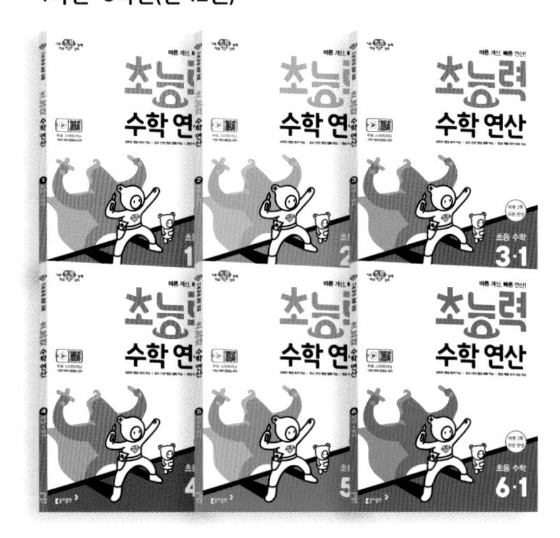


- 학년, 학기별 중요 연산 단원 집중 강화 학습
- 원리 강의를 통해 문제 풀이에 바로 적용

## 맞춤법+받아쓰기

예비 초등~2학년(전 3권)

- 맞춤법의 기본 원리를 이해하기 쉽게 설명
- 맞춤법 문제도 재미있는 풀이 강의로 해결

## 구구단 / 시계 • 달력 / 분수

1학년~5학년(전 3권)

- 초등 수학 핵심 영역을 한 권으로 효율적으로 학습
- 개념 강의를 통해 원리부터 이해

## 비주얼씽킹 초등 한국사 / 과학

1학년~6학년(각 3권)

- 비주얼씽킹으로 쉽게 이해하는 한국사
- 과학 개념을 재미있게 그림으로 설명

## 급수 한자

8급, 7급, 6급(전 3권)

- 급수 한자 8급, 7급, 6급 기출문제 완벽 분석
- 혼자서도 한자능력검정시험 완벽 대비

**급수 한자**와 초등 **교과서 어휘**를 한 번에!

# 초능력(力) 급수 한자

(사) 한국어문회 주관, 한국한자능력검정회 시행 기준

# 8급 한자능력검정시험 안내

## 한자능력검정시험이란 무엇인가요?

사단법인 한국어문회에서 주관하고 한국한자능력검정회가 시행하는 한자 활용 능력 시험이에요. 공인급수시험(특급~3급Ⅱ)과 교육급수시험(4급~8급)으로 나뉘어요. 초등학생은 교육급수시험(4급~8급)에 목표를 두고 학습하기를 권해요.

## 어떤 유형의 문제가 나오나요?

문제 유형은 총 13가지로, 급수에 따라 출제되는 비율이나 유형이 달라요. 8급은 한자의 소리(음)를 묻는 독음 문제 24문제와 한자의 뜻과 소리를 묻는 훈음 문제 24문제, 필순을 묻는 문제가 2문제 출제돼요. 시험에 출제되는 상위 급수 한자는 하위 급수 한자를 모두 포함하고, 쓰기 배정 한자는 한두 급수 아래의 읽기 배정 한자이거나 해당 급수 범위 내에 있어요.

| 구분 | 8급 | 7급Ⅱ | 7급 | 6급Ⅱ | 6급 | 5급Ⅱ | 5급 | 4급Ⅱ | 4급 |
|---|---|---|---|---|---|---|---|---|---|
| 읽기 배정 한자 | 50 | 100 | 150 | 225 | 300 | 400 | 500 | 750 | 1000 |
| 쓰기 배정 한자 | 0 | 0 | 0 | 50 | 150 | 225 | 300 | 400 | 500 |
| 독음 | 24 | 22 | 32 | 32 | 33 | 35 | 35 | 35 | 32 |
| 훈음 | 24 | 30 | 30 | 29 | 22 | 23 | 23 | 22 | 22 |
| 장단음 | 0 | 0 | 0 | 0 | 0 | 0 | 0 | 0 | 3 |
| 반의어 | 0 | 2 | 2 | 2 | 3 | 3 | 3 | 3 | 3 |
| 완성형 | 0 | 2 | 2 | 2 | 3 | 4 | 4 | 5 | 5 |
| 부수 | 0 | 0 | 0 | 0 | 0 | 0 | 0 | 3 | 3 |
| 동의어 | 0 | 0 | 0 | 0 | 2 | 3 | 3 | 3 | 3 |
| 동음이의어 | 0 | 0 | 0 | 0 | 2 | 3 | 3 | 3 | 3 |
| 뜻풀이 | 0 | 2 | 2 | 2 | 2 | 3 | 3 | 3 | 3 |
| 약자 | 0 | 0 | 0 | 0 | 0 | 3 | 3 | 3 | 3 |
| 한자 쓰기 | 0 | 0 | 0 | 10 | 20 | 20 | 20 | 20 | 20 |
| 필순 | 2 | 2 | 2 | 3 | 3 | 3 | 3 | 0 | 0 |
| 한문 | 0 | 0 | 0 | 0 | 0 | 0 | 0 | 0 | 0 |

※ 출제 기준표는 기본 지침 자료로서, 출제자의 의도에 따라 차이가 있을 수 있습니다.

## 시험 시간 및 문항 수는 어떻게 되나요?

시험 시간은 50분(4급~8급)이고, 급수가 올라갈수록 문항 수가 많아져요. 8급은 총 50문항 중 35문항 이상 맞아야 합격이에요.

| 구분 | 8급 | 7급Ⅱ | 7급 | 6급Ⅱ | 6급 | 5급, 5급Ⅱ, 4급Ⅱ, 4급 |
|---|---|---|---|---|---|---|
| 출제 문항 | 50 | 60 | 70 | 80 | 90 | 100 |
| 합격 문항 | 35 | 42 | 49 | 56 | 63 | 70 |

※ 이 외 시험 일정과 접수 방법과 관련된 정보는 한국어문회 홈페이지(www.hanja.re.kr)에서 확인할 수 있습니다.

## 8급 배정 한자 찾아보기 ㄱㄴㄷ 순

# 이 책으로 공부하는 방법

## Step 1 하루 2자씩, 한자 익히기

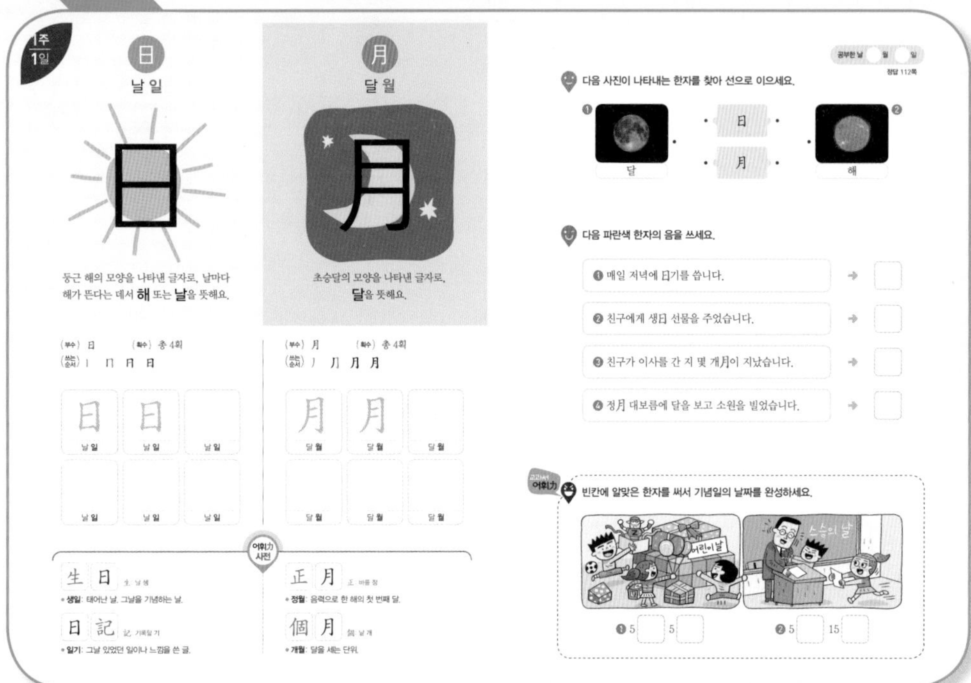

### 따라 쓰기

하루 2자씩, 그림을 보며 한자를 따라 쓰고 한자 어휘를 익혀요.

### 확인 문제

간단한 한자 문제와 교과서 어휘력 문제를 풀며 실력을 확인해요.

## Step 2 문제로 마무리하기

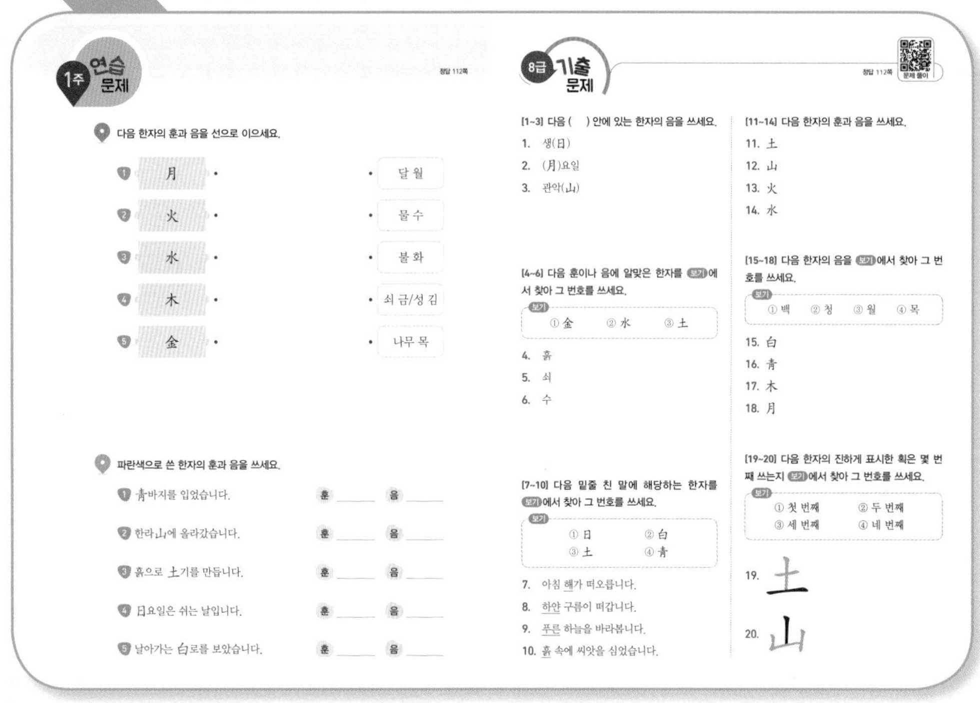

### 연습 문제

한 주에 배운 한자의 훈과 음을 바르게 알고 있는지 점검해요.

### 기출 문제

기출 유형 문제를 풀며 급수 시험 대비 실력을 쌓아요.

### 기출문제 풀이 강의

QR 코드를 찍어 기출문제를 완벽하게 분석해요.

## Step 3 교과서 지식 쌓기

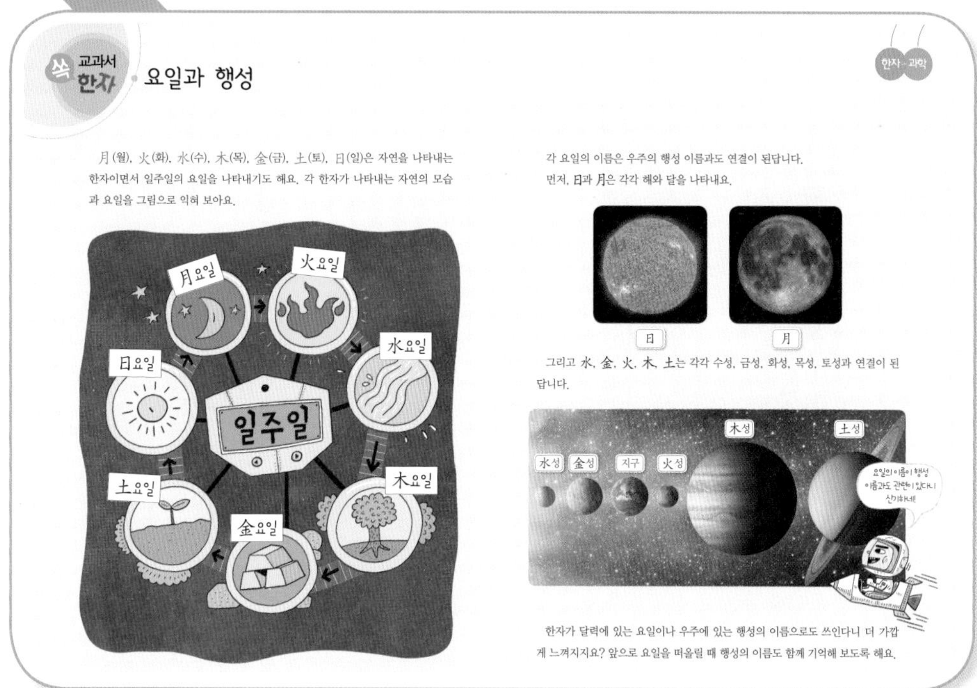
쏙 교과서 한자 · 요일과 행성

한자-과학

月(월), 火(화), 水(수), 木(목), 金(금), 土(토), 日(일)은 자연을 나타내는 한자이면서 일주일의 요일을 나타내기도 해요. 각 한자가 나타내는 자연의 모습과 요일을 그림으로 익혀 보아요.



각 요일의 이름은 우주의 행성 이름과도 연결이 된답니다.
먼저, 日과 月은 각각 해와 달을 나타내요.



그리고 水, 金, 火, 木, 土는 각각 수성, 금성, 화성, 목성, 토성과 연결이 된답니다.



한자가 달력에 있는 요일이나 우주에 있는 행성의 이름으로도 쓰인다니 더 가깝게 느껴지지요? 앞으로 요일을 떠올릴 때 행성의 이름도 함께 기억해 보도록 해요.

**교과서 쏙 지식**

한자와 관련된 교과서 속 내용을 읽으며 지식을 쌓아요.

## Step 4 실전 모의고사

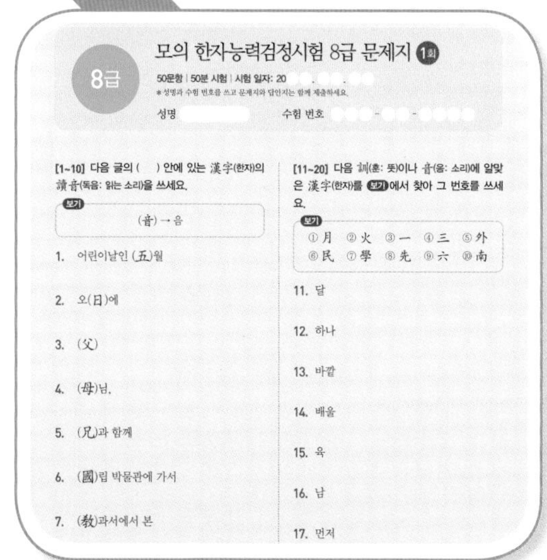
8급

모의 한자능력검정시험 8급 문제지 1회

50문항 | 50분 시험 | 시험 일자: 20

* 성명과 수험 번호를 쓰고 문제지와 답안지는 함께 제출하세요.

성명 수험 번호

[1~10] 다음 글의 ( ) 안에 있는 漢字(한자)의 讀音(독음: 읽는 소리)을 쓰세요.

보기: (音) → 음

1. 어린이날인 (五)월
2. 오(日)에
3. (父)
4. (母)님.
5. (兄)과 함께
6. (國)립 박물관에 가서
7. (敎)과서에서 본

[11~20] 다음 訓(훈: 뜻)이나 音(음: 소리)에 알맞은 漢字(한자)를 보기에서 찾아 그 번호를 쓰세요.

보기: ① 月 ② 火 ③ 一 ④ 三 ⑤ 外 ⑥ 民 ⑦ 學 ⑧ 先 ⑨ 六 ⑩ 南

11. 달
12. 하나
13. 바깥
14. 배울
15. 육
16. 남
17. 먼저

**모의 한자능력검정시험 3회**

급수 시험 대비 실전 모의고사를 풀며 실제 시험에 대비해요.

## Step 5 한자 카드

**한자 카드**

한자 카드를 잘라서 들고 다니며 간편하게 한자의 훈과 음, 어휘를 익힐 수 있어요.

# 차례 차근차근 25일 완성

KB046961

# 한자에 대해 알아보아요

## 한자가 왜 중요할까요?

漢字(한자), 왠지 듣기만 해도 어려워서 피하고 싶은 친구들이 많을 거예요. 하지만, 사실 우리나라 단어의 70~80%가 한자어라고 할 정도로 한자는 우리말을 이해하기 위해서도 정말 중요해요. 예를 들어, 우리가 자주 사용하는 '생일'도 한자어예요. 生(날 생)과 日(날 일)이 합쳐져 '태어난 날'이라는 뜻을 갖게 된 것이지요. 이렇게 한자를 알면 단어의 뜻을 잘 이해할 수 있어서 어휘력과 독해력을 키우고 다양한 과목을 공부하는 데 큰 도움이 된답니다.

## 한자에는 훈과 음이 있어요.

"하늘 천, 땅 지~"라고 흥얼거리는 노래를 들어본 적이 있지요? 이처럼 한자는 훈과 음으로 되어 있어요. 한자의 뜻을 '훈', 한자를 읽을 때의 소리를 '음'이라고 해요.

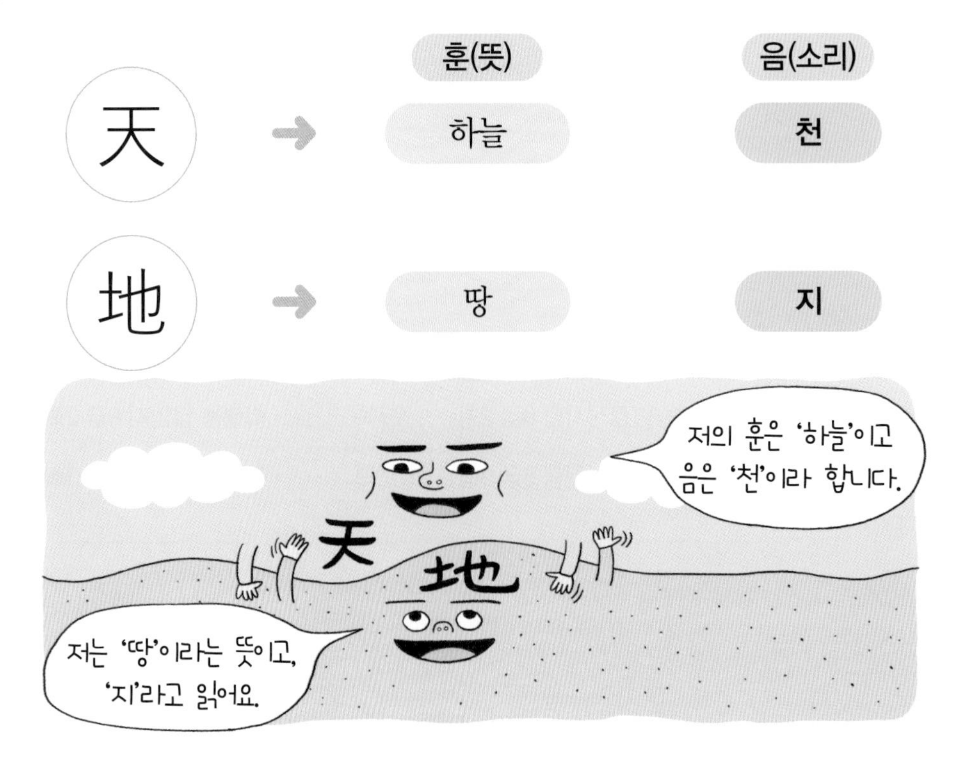

## 부수란 무엇일까요?

부수는 한자를 정리하기 위한 방법 중 하나예요. 한자 사전에서 모르는 한자를 찾을 때, 부수를 먼저 찾고 부수를 뺀 나머지 한자의 획수를 세면 빠르게 찾을 수 있어요. 또한, 부수를 잘 알아 두면 한자의 뜻을 떠올리는 데에도 도움이 돼요.

- 글자 자체가 부수가 되는 한자

- 부수가 다른 한자의 일부인 한자

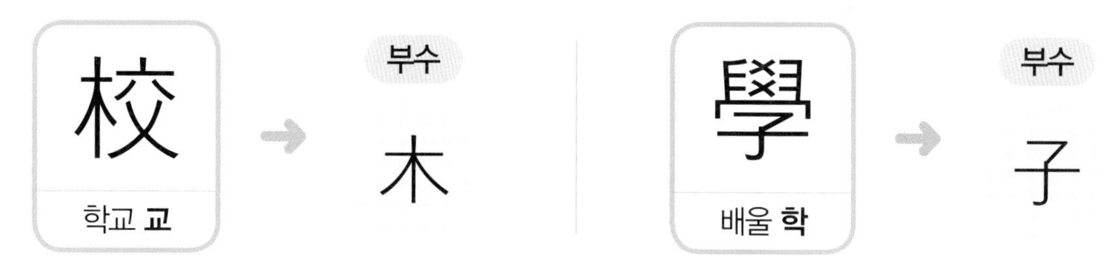


부수는 모양을 바꿔서 한자의 왼쪽이나 오른쪽, 위쪽이나 아래쪽에 붙어서 한자를 만들기도 해요.

## 필순을 지켜서 바르게 써요.

필순은 한자를 쓸 때의 순서를 말해요. 필순을 지켜서 한자를 써야 쓰기도 편하고 모양도 예쁘답니다. 다음은 한자를 자연스럽게 쓰기 위한 일반적인 규칙이에요. 이를 모두 외우려고 하기 보다는 가볍게 살펴보고 한자마다 쓰면서 각각 연습하세요.

① 글자의 윗부분부터 쓰기 시작하여 아래로 써 나갑니다.

② 글자의 왼쪽 부분부터 쓰기 시작하여 오른쪽으로 써 나갑니다.

川 丿 川 川

③ 가로획과 세로획이 만날 때에는 가로획을 먼저 씁니다.

十 一 十

④ 좌우 모양이 같을 때는 가운데를 먼저 씁니다.

小 亅 小 小

⑤ 바깥 둘레가 있는 글자는 바깥을 먼저 쓰고 안을 나중에 씁니다.

同 丨 冂 冋 同 同 同

⑥ 삐침(丿)을 먼저 쓰고, 파임(㇏)을 나중에 씁니다.

文 丶 亠 㐅 文

⑦ 글자 가운데를 뚫고 지나가는 획은 마지막에 씁니다.

中 丨 冂 口 中

## 한자의 뜻을 알면 어휘력을 키울 수 있어요.

다음과 같이 각각의 한자를 합하면 뜻을 나타내는 단어가 돼요.

어때요? 한자와 한자를 합해서 만든 단어를 보니 생각보다 익숙하지 않나요? 이렇게 한자는 교과서나 우리 생활 곳곳에서 사용되고 있어요.

앞으로 하루 2개씩, 25일 동안 50개의 한자를 익히고 그 한자가 쓰인 단어를 함께 공부하고 나면 한자와 어휘 실력이 쑥쑥 늘어 있을 거예요. 한자검정능력시험도 완벽하게 준비할 수 있는 건 물론이고요.

## 8급 25일 완성 공부 계획표

✓ 25일 동안 이 책을 공부하는 데 알맞은 공부 계획표입니다.

✓ 날짜를 적고 매일매일 꾸준하게 공부한 뒤, 잘했는지 확인하세요.

| 주 | | 공부한 날짜 | 8급 한자 | 확인 |
|---|---|---|---|---|
| 1주 | 1日 | 월 일 | 日 月 | |
| | 2日 | 월 일 | 火 水 | |
| | 3日 | 월 일 | 木 金 | |
| | 4日 | 월 일 | 土 山 | |
| | 5日 | 월 일 | 青 白 | |
| 2주 | 1日 | 월 일 | 一 二 | |
| | 2日 | 월 일 | 三 四 | |
| | 3日 | 월 일 | 五 六 | |
| | 4日 | 월 일 | 七 八 | |
| | 5日 | 월 일 | 九 十 | |
| 3주 | 1日 | 월 일 | 父 母 | |
| | 2日 | 월 일 | 兄 弟 | |

| 주 | 공부한 날짜 | | 8급 한자 | 확인 |
|---|---|---|---|---|
| 3주 | 3日 | 월 일 | 女 人 | |
| | 4日 | 월 일 | 室 門 | |
| | 5日 | 월 일 | 寸 長 | |
| 4주 | 1日 | 월 일 | 學 校 | |
| | 2日 | 월 일 | 先 生 | |
| | 3日 | 월 일 | 教 國 | |
| | 4日 | 월 일 | 韓 軍 | |
| | 5日 | 월 일 | 王 民 | |
| 5주 | 1日 | 월 일 | 東 西 | |
| | 2日 | 월 일 | 南 北 | |
| | 3日 | 월 일 | 大 小 | |
| | 4日 | 월 일 | 中 外 | |
| | 5日 | 월 일 | 萬 年 | |

1주
1일
日
날 일
月
달 월
2일
火
불 화
水
물 수

1주 에는 자연과 관련된 한자를 배워요.

## 日
날 일

둥근 해의 모양을 나타낸 글자로, 날마다 해가 뜬다는 데서 **해** 또는 **날**을 뜻해요.

## 月
달 월

초승달의 모양을 나타낸 글자로, **달**을 뜻해요.

(부수) 日 (획수) 총 4획
(쓰는 순서) 丨 冂 日 日

(부수) 月 (획수) 총 4획
(쓰는 순서) 丿 刀 月 月

### 어휘力 사전

生 日 生: 날 생
- **생일**: 태어난 날. 그날을 기념하는 날.

日 記 記: 기록할 기
- **일기**: 그날 있었던 일이나 느낌을 쓴 글.

正 月 正: 바를 정
- **정월**: 음력으로 한 해의 첫 번째 달.

個 月 個: 낱 개
- **개월**: 달을 세는 단위.

정답 112쪽

다음 사진이 나타내는 한자를 찾아 선으로 이으세요.

다음 파란색 한자의 음을 쓰세요.

① 매일 저녁에 日기를 씁니다. → □

② 친구에게 생日 선물을 주었습니다. → □

③ 친구가 이사를 간 지 몇 개月이 지났습니다. → □

④ 정月 대보름에 달을 보고 소원을 빌었습니다. → □

교과서 어휘力

빈칸에 알맞은 한자를 써서 기념일의 날짜를 완성하세요.

① 5 □ 5 □

② 5 □ 15 □

## 불 화

불길이 솟아오르는 모양을
나타낸 글자로, **불**을 뜻해요.

(부수) 火 (획수) 총 4획

(쓰는 순서) 丶 丷 火 火

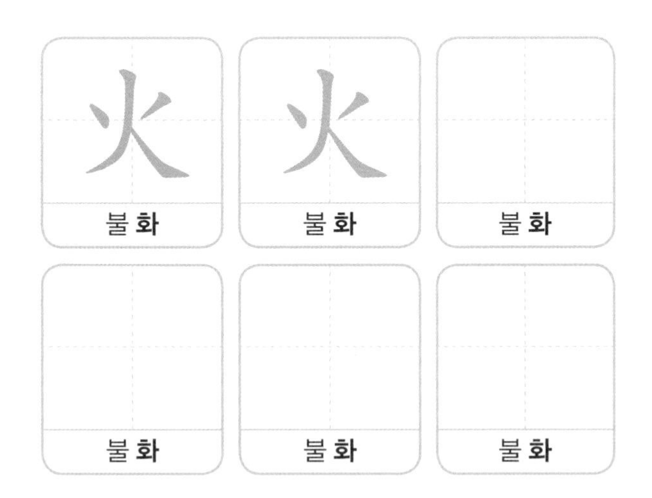


## 水 물 수

물이 흘러가는 모양을
나타낸 글자로, **물**을 뜻해요.

(부수) 水 (획수) 총 4획

(쓰는 순서) 亅 才 水 水

### 어휘力 사전

火 山 山: 메 산

- **화산**: 마그마가 뿜어져 만들어진 산.

火 災 災: 재앙 재

- **화재**: 불이 나서 생긴 사고.

山 水 山: 메 산

- **산수**: 산과 물. 자연의 경치.

水  泳: 헤엄칠 영

- **수영**: 물속에서 헤엄치는 일.

정답 112쪽

다음 사진과 관련된 한자에 ○표 하세요.

❶ 

火

水

❷ 

火

水

다음 밑줄 친 글자의 한자를 찾아 선으로 이으세요.

❶ 갑자기 화산이 폭발했습니다. •

❷ 바다에서 신나게 수영을 했습니다. •

❸ 우리나라는 산수가 무척 아름답습니다. •

❹ 산에 화재가 나서 나무가 타 버렸습니다. •

• 火

• 水

교과서 어휘力

빈칸에 알맞은 한자를 써서 안전 포스터의 문구를 완성하세요.

## 나무 목

땅에 뿌리를 박고 가지를 뻗어 나가는
나무를 나타낸 글자로, **나무**를 뜻해요.

(부수) 木 (획수) 총 4획
(쓰는 순서) 一 十 才 木

## 쇠 금

땅속에 있는 광물을 나타낸 글자로,
**쇠**나 **금**을 뜻해요.

(부수) 金 (획수) 총 8획
(쓰는 순서) ノ 人 𠆢 今 소 숲 金 金

* 金은 '성 김'으로도 쓰여요.

### 어휘力 사전

木 手 手: 손 수

- **목수**: 나무로 집을 짓거나 물건을 만드는 사람.

木 馬 馬: 말 마

- **목마**: 놀이에 쓰려고 나무를 말의 모양으로 깎아 만든 물건.

黃  黃: 누를 황

- **황금**: 누런빛의 금.

貯  貯: 쌓을 저

- **저금**: 돈을 저금통에 모으거나 은행에 돈을 맡기는 일.

정답 112쪽

## 다음 밑줄 친 말과 관련된 한자에 ○표 하세요.

## 다음 파란색 한자의 음을 찾아 선으로 이으세요.

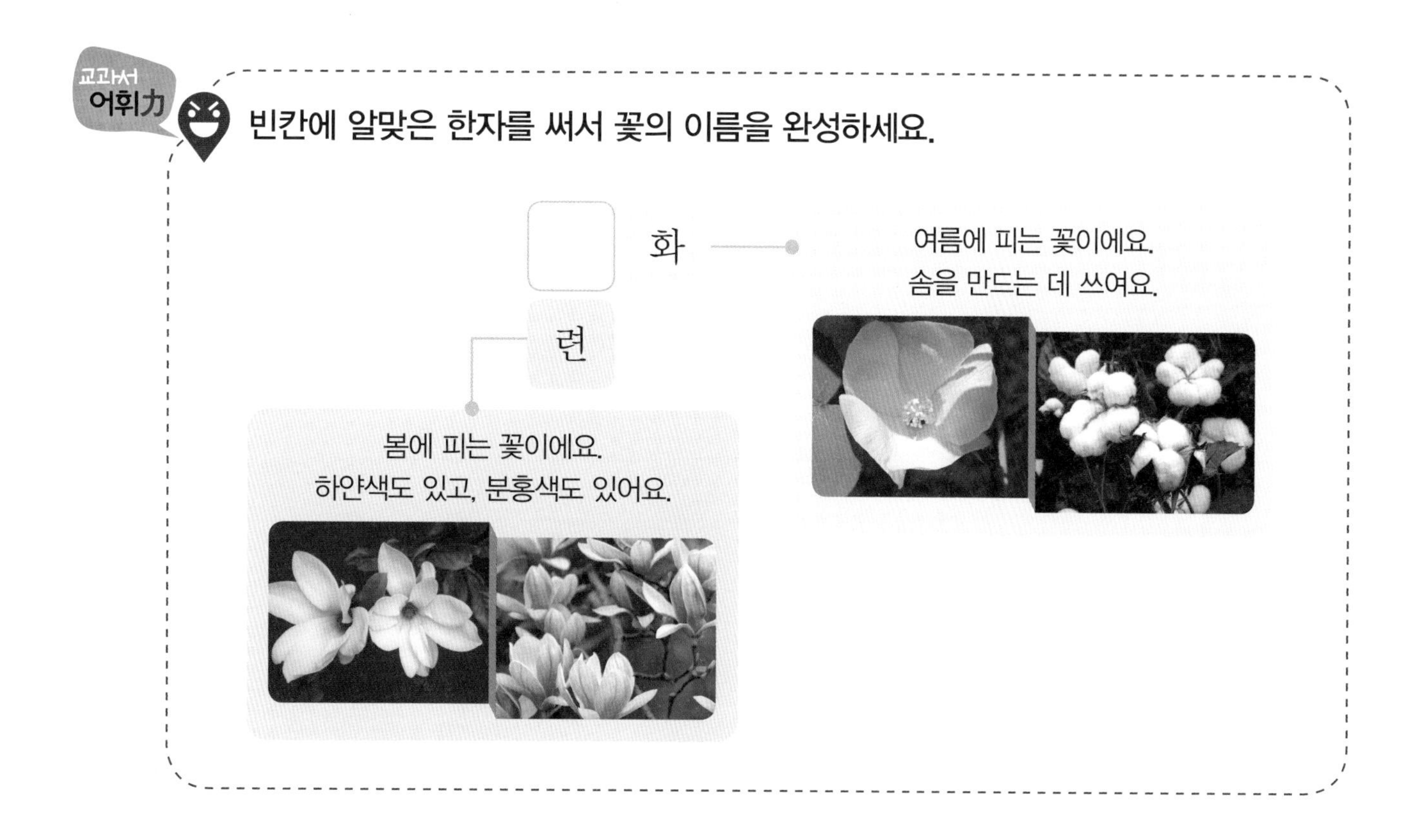

## 흙 토

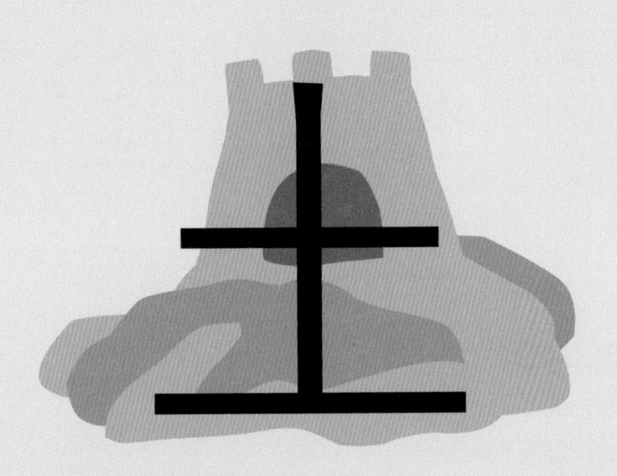

땅 위에 뭉쳐 있는 흙덩어리를 나타낸 글자로, **흙**을 뜻해요.

## 메 산

우뚝 솟아 있는 세 개의 산봉우리를 나타낸 글자로, **메**(산)를 뜻해요.

(부수) 土 (획수) 총 3획

(쓰는 순서) 一 十 土

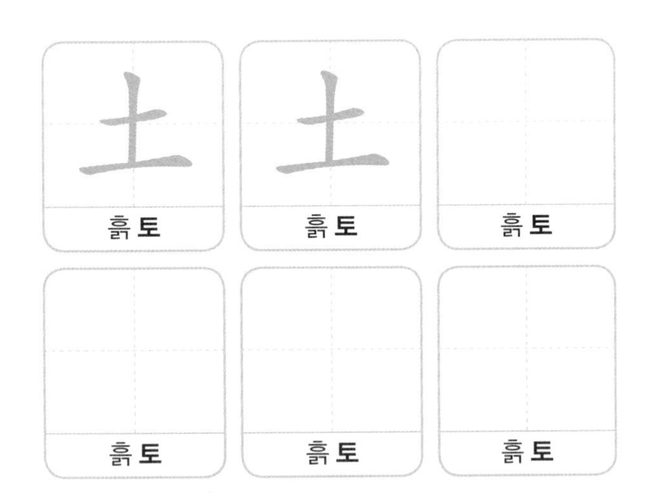

| 土 | 土 | |
|---|---|---|
| 흙 토 | 흙 토 | 흙 토 |
| | | |
| 흙 토 | 흙 토 | 흙 토 |

(부수) 山 (획수) 총 3획

(쓰는 순서) 丨 山 山

| 山 | 山 | |
|---|---|---|
| 메 산 | 메 산 | 메 산 |
| | | |
| 메 산 | 메 산 | 메 산 |

* '메'는 '산'을 예스럽게 부르는 말이에요.

### 어휘力 사전

土 地 地: 땅 지

• **토지**: 집터나 밭처럼 사람이 생활할 때 쓰는 땅.

國 土 國: 나라 국

• **국토**: 한 나라가 다스리는 땅.

下 山 下: 아래 하

• **하산**: 산에서 내려오는 일.

山 中 中: 가운데 중

• **산중**: 산속.

정답 112쪽

## 다음 한자의 훈과 음을 찾아 선으로 이으세요.

❶ 土 •     • 흙 토 •     • 山 ❷

• 메 산 •

## 다음 밑줄 친 글자의 한자를 쓰세요.

❶ 깊은 산중에 작은 집이 있습니다. → ☐

❷ 좋은 토지에서 키운 채소가 몸에도 좋습니다. → ☐

❸ 우리나라 국토는 호랑이의 모습을 닮았습니다. → ☐

❹ 지난 주말에 가족과 함께 등산을 하였습니다. → ☐

교과서 어휘力

## 빈칸에 알맞은 한자를 써서 산의 이름을 완성하세요.

❶ 백 두 ☐

❷ 한 라 ☐

1주
5일

푸를 청

땅 위에 돋아나는 푸른 새싹을
나타낸 글자로, **푸르다**를 뜻해요.

白

흰 백

불이 밝게 타오르는 모습을 나타낸 글자로,
**희다** 또는 **밝다**를 뜻해요.

(부수) 青 (획수) 총 8획
(쓰는 순서) 一 二 丰 主 丰 青 青 青

(부수) 白 (획수) 총 5획
(쓰는 순서) ′ 丨 白 白 白

어휘力 사전

青 色 色: 빛 색

- **청색**: 푸른색.

青 山 山: 메 산

- **청산**: 나무와 수풀이 우거진 푸른 산.

白 雪 雪: 눈 설

- **백설**: 하얀 눈.

白 鳥 鳥: 새 조

- **백조**: 몸이 크고 온몸이 흰색인 물새.

정답 112쪽

## 다음 사진에 알맞은 한자를 찾아 선으로 이으세요.

① 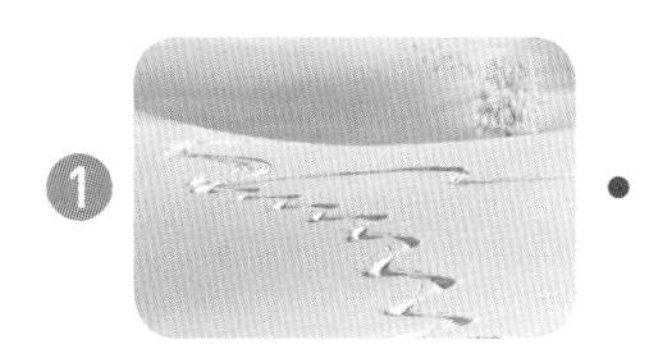 • • 靑

②  • • 白

## 다음 파란색 한자의 음에 ○표 하세요.

|  | | |
|---|---|---|
| ① 온 세상이 白설로 뒤덮였습니다. | 청 | 백 |
| ② 심판은 靑색 깃발을 높이 들었습니다. | 청 | 백 |
| ③ 靑산에는 많은 동물이 살고 있습니다. | 청 | 백 |
| ④ 친구와 함께 白조의 호수 공연을 보았습니다. | 청 | 백 |

## 다음 설명을 보고 빈칸에 알맞은 한자를 쓰세요.

'푸른 기와집'이라는 뜻으로, 우리나라 대통령이 가족과 함께 생활하는 곳이에요.

| | 와 | 대 |
|---|---|---|

정답 112쪽

다음 한자의 훈과 음을 선으로 이으세요.

| | | |
|---|---|---|
| 1 | 月 • | • 달 월 |
| 2 | 火 • | • 물 수 |
| 3 | 水 • | • 불 화 |
| 4 | 木 • | • 쇠 금/성 김 |
| 5 | 金 • | • 나무 목 |

파란색으로 쓴 한자의 훈과 음을 쓰세요.

1 靑바지를 입었습니다. 훈 ______ 음 ______

2 한라山에 올라갔습니다. 훈 ______ 음 ______

3 흙으로 土기를 만듭니다. 훈 ______ 음 ______

4 日요일은 쉬는 날입니다. 훈 ______ 음 ______

5 날아가는 白로를 보았습니다. 훈 ______ 음 ______

정답 112쪽

**[1~3]** 다음 ( ) 안에 있는 한자의 음을 쓰세요.

1. 생(日)
2. (月)요일
3. 관악(山)

**[4~6]** 다음 훈이나 음에 알맞은 한자를 보기에서 찾아 그 번호를 쓰세요.

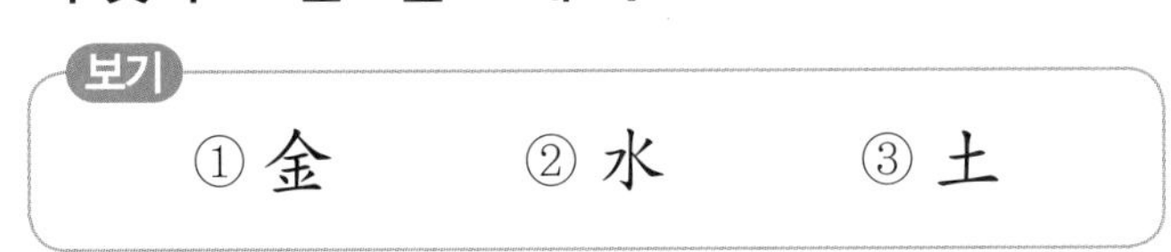
보기
① 金 ② 水 ③ 土

4. 흙
5. 쇠
6. 수

**[7~10]** 다음 밑줄 친 말에 해당하는 한자를 보기에서 찾아 그 번호를 쓰세요.

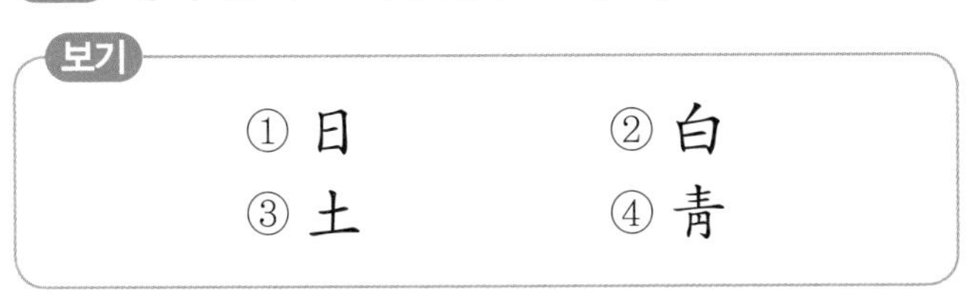
보기
① 日 ② 白
③ 土 ④ 青

7. 아침 해가 떠오릅니다.
8. 하얀 구름이 떠갑니다.
9. 푸른 하늘을 바라봅니다.
10. 흙 속에 씨앗을 심었습니다.

**[11~14]** 다음 한자의 훈과 음을 쓰세요.

11. 土
12. 山
13. 火
14. 水

**[15~18]** 다음 한자의 음을 보기에서 찾아 그 번호를 쓰세요.

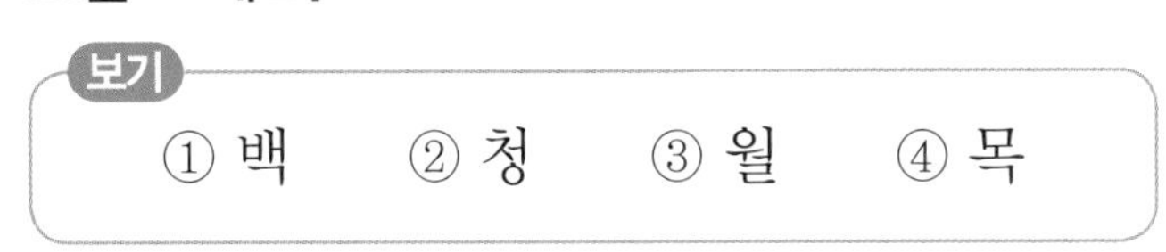
보기
① 백 ② 청 ③ 월 ④ 목

15. 白
16. 青
17. 木
18. 月

**[19~20]** 다음 한자의 진하게 표시한 획은 몇 번째 쓰는지 보기에서 찾아 그 번호를 쓰세요.

보기
① 첫 번째 ② 두 번째
③ 세 번째 ④ 네 번째

19. 

20. 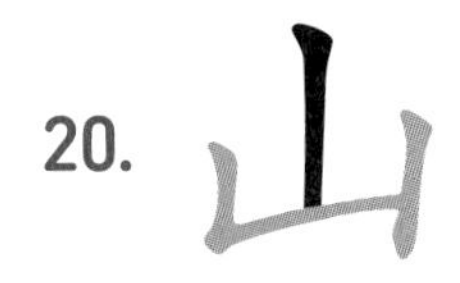

쏙 교과서 한자

# 요일과 행성

月(월), 火(화), 水(수), 木(목), 金(금), 土(토), 日(일)은 자연을 나타내는 한자이면서 일주일의 요일을 나타내기도 해요. 각 한자가 나타내는 자연의 모습과 요일을 그림으로 익혀 보아요.

각 요일의 이름은 우주의 행성 이름과도 연결이 된답니다.

먼저, 日과 月은 각각 해와 달을 나타내요.

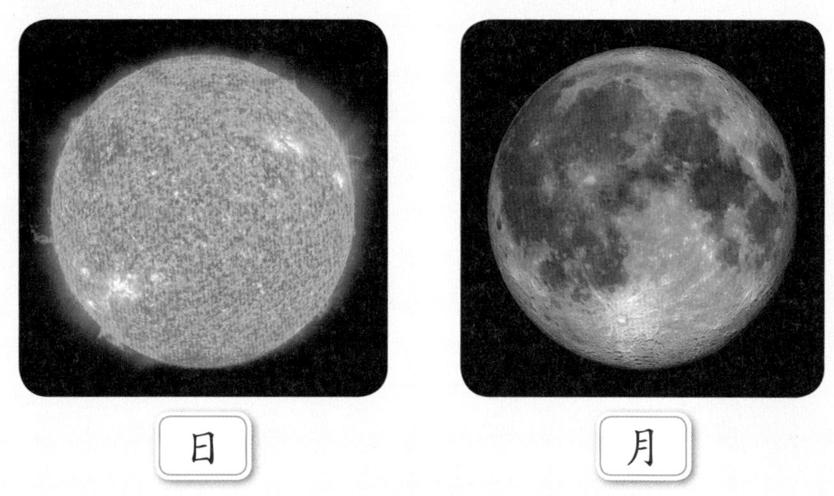


그리고 水, 金, 火, 木, 土는 각각 수성, 금성, 화성, 목성, 토성과 연결이 된답니다.

한자가 달력에 있는 요일이나 우주에 있는 행성의 이름으로도 쓰인다니 더 가깝게 느껴지지요? 앞으로 요일을 떠올릴 때 행성의 이름도 함께 기억해 보도록 해요.

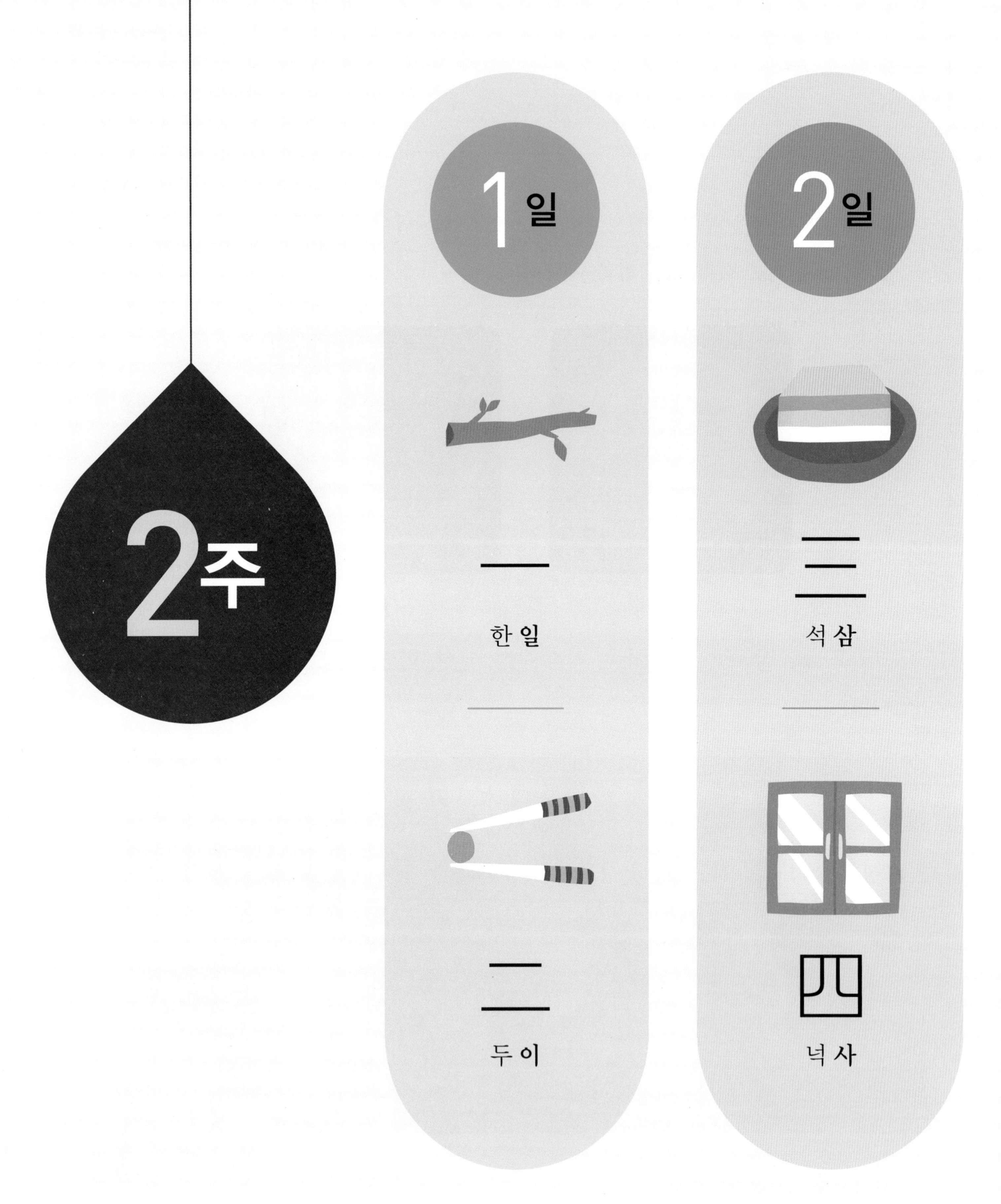
2주
1일
一
한 일
二
두 이
2일
三
석 삼
四
넉 사

3일
五
다섯 오
六
여섯 륙
4일
七
일곱 칠
八
여덟 팔
5일
九
아홉 구
十
열 십

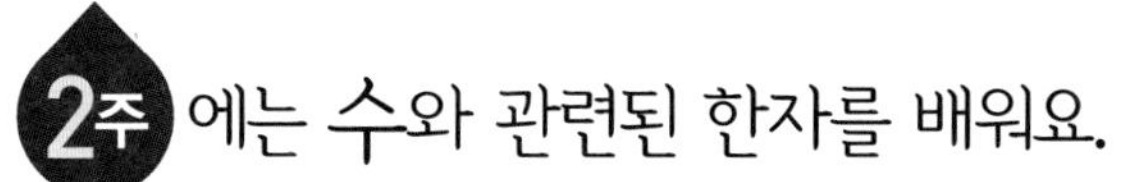
2주 에는 수와 관련된 한자를 배워요.

# 한 일

숫자 1을 나타낸 글자로,
**하나**를 뜻해요.

(부수) 一 (획수) 총 1획
(쓰는 순서) 一

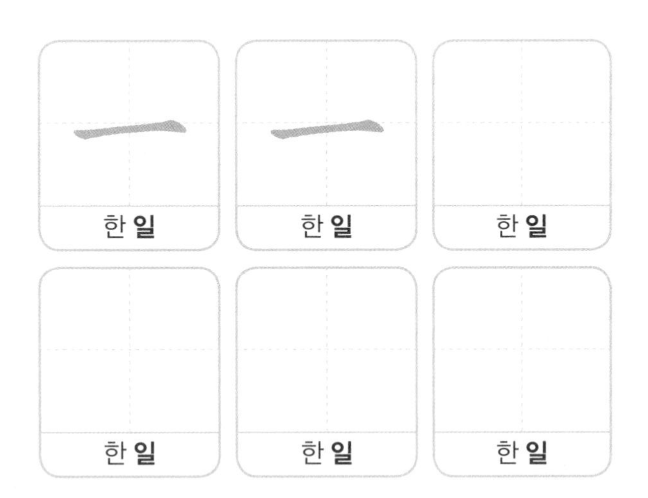

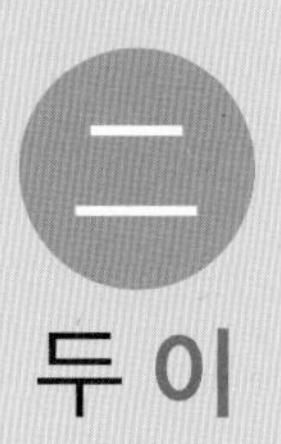

# 두 이

숫자 2를 나타낸 글자로,
**둘**을 뜻해요.

(부수) 二 (획수) 총 2획
(쓰는 순서) 一 二

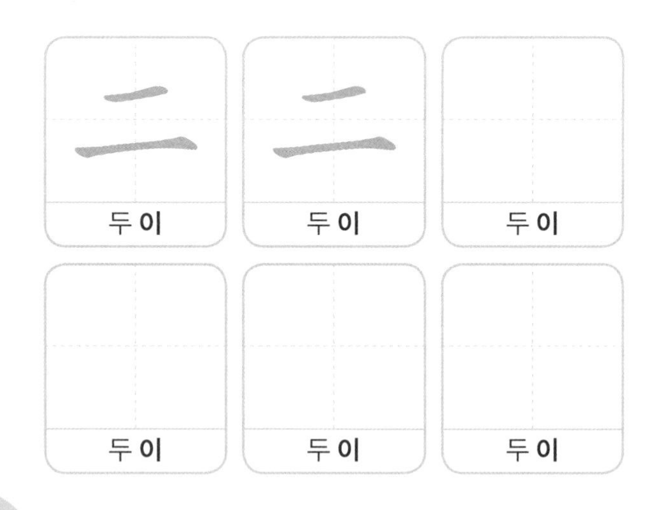

## 어휘力 사전

第 一 第: 차례 제

- **제일**: 여러 가지 중에 가장 으뜸인 것.

統 一 統: 거느릴 통

- **통일**: 나누어진 것을 모아 하나로 만드는 것.

二 十 十: 열 십

- **이십**: 십의 두 배가 되는 수.

二 重 重: 무거울 중

- **이중**: 두 번을 반복함. 두 겹.

정답 113쪽

## 다음 달걀의 개수를 나타내는 한자에 ○표 하세요.

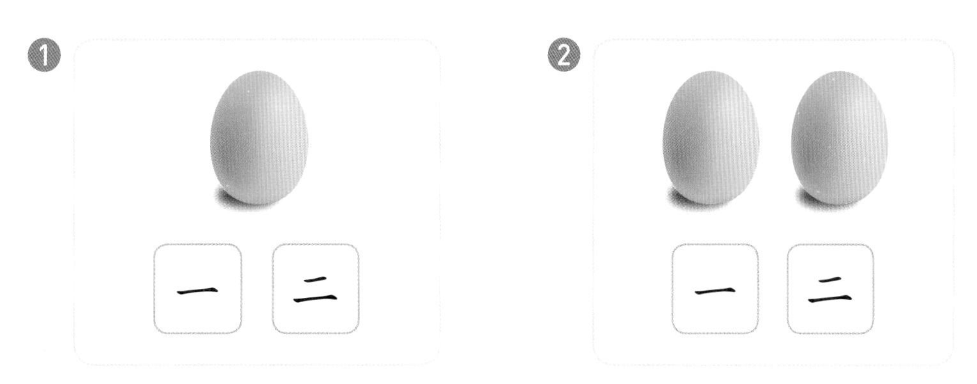


## 다음 밑줄 친 글자의 한자를 쓰세요.

❶ 십의 두 배가 되는 수는 이십입니다. → ☐

❷ 제가 제일 좋아하는 과일은 사과입니다. → ☐

❸ 남한과 북한이 통일이 되면 좋겠습니다. → ☐

❹ 우리 집 창문은 이중으로 되어 있습니다. → ☐

교과서 어휘力

## 다음 대화를 보고 빈칸에 알맞은 한자를 쓰세요.

# 석 삼

숫자 3을 나타낸 글자로,
**셋**을 뜻해요.

(부수) 一 (획수) 총 3획

(쓰는 순서) 一 二 三

# 넉 사

숫자 4를 나타낸 글자로,
**넷**을 뜻해요.

(부수) 口 (획수) 총 5획

(쓰는 순서) 丨 冂 罒 四 四

## 어휘力 사전

三 國 國: 나라 국

- **삼국**: 세 나라.

三 三 五 五 五: 다섯 오

- **삼삼오오**: 서넛 또는 대여섯 사람이 떼를 지어 다님.

四 方 方: 모 방

- **사방**: 동서남북의 네 방향.

四 寸 寸: 마디 촌

- **사촌**: 아버지 형제자매의 아들이나 딸.

정답 113쪽

## 다음 한자의 훈과 음에 ○표 하세요.

## 다음 파란색 한자의 음을 쓰세요.

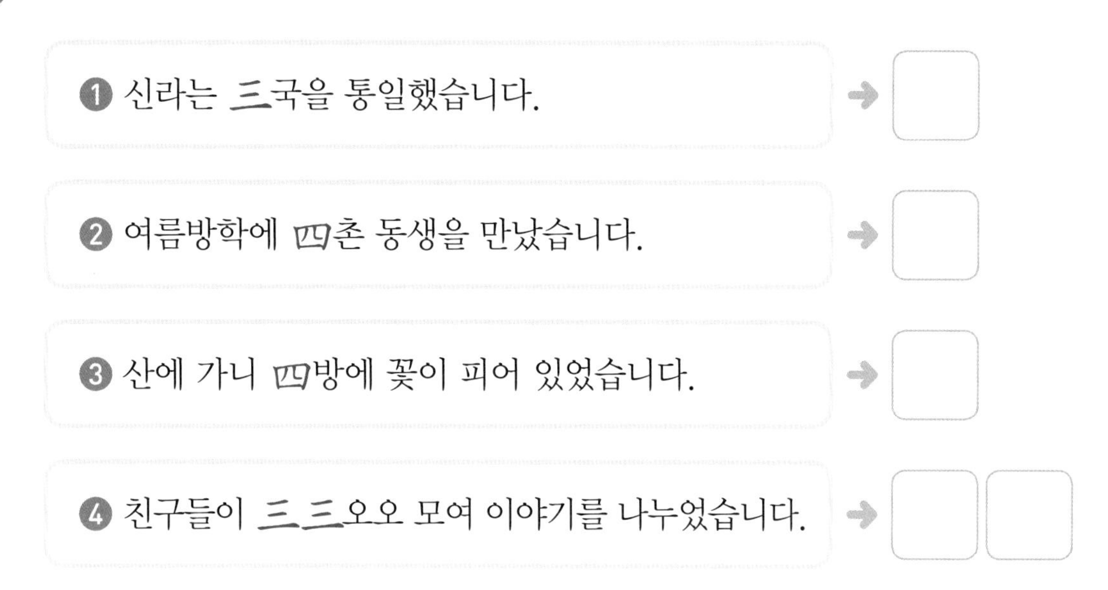


교과서 어휘力

## 다음 물건에서 찾을 수 있는 도형의 이름에 알맞은 한자를 쓰세요.

다섯 오

숫자 5를 나타낸 글자로,
**다섯**을 뜻해요.

여섯 륙

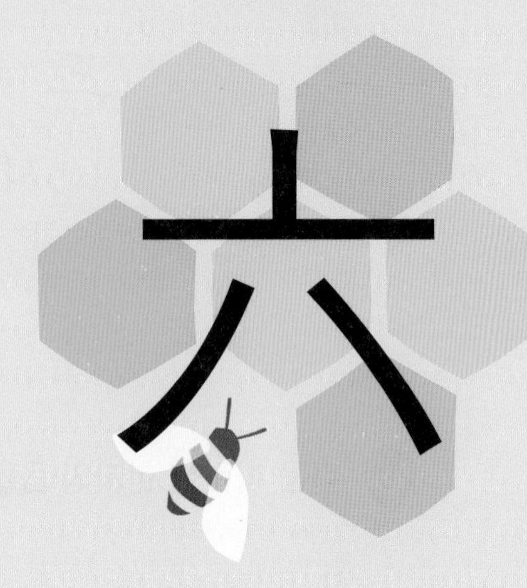


숫자 6을 나타낸 글자로,
**여섯**을 뜻해요.

(부수) 二 (획수) 총 4획
(쓰는 순서) 一 丁 五 五

(부수) 八 (획수) 총 4획
(쓰는 순서) 丶 亠 六 六

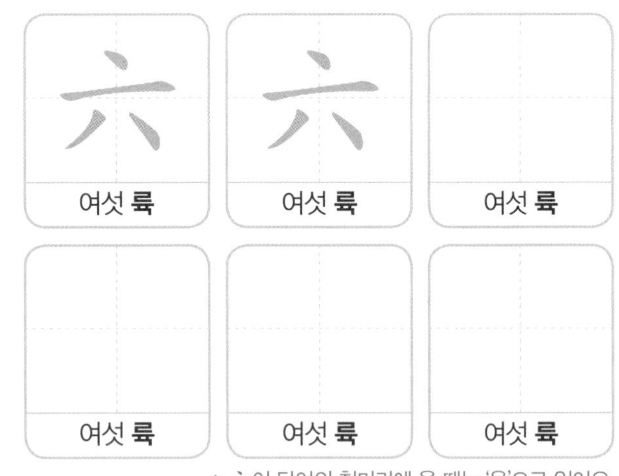


* 六이 단어의 첫머리에 올 때는 '육'으로 읽어요.

어휘力 사전

五 色 色: 빛 색

- **오색**: 빨강, 노랑, 파랑, 하양, 검정의 다섯 가지 빛깔.

五 大 洋 大: 큰 대 洋: 큰 바다 양

- **오대양**: 지구를 둘러싸고 있는 다섯 개의 큰 바다.

六 面 體 面: 낯 면 體: 몸 체

- **육면체**: 여섯 개의 평면으로 둘러싸인 입체.

六 二 五 二: 두 이 五: 다섯 오

- **육이오**: 1950년 6월 25일에 우리나라에서 일어난 전쟁.

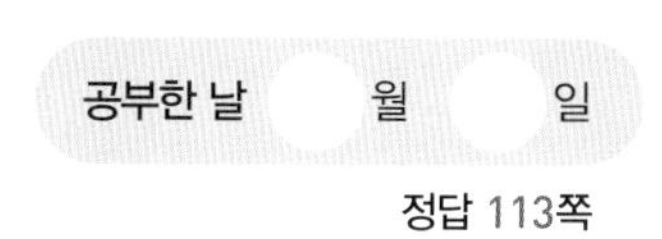


정답 113쪽

다음 숫자에 알맞은 한자를 찾아 선으로 이으세요.

다음 빈칸에 알맞은 한자를 쓰세요.

① 지구에는 다섯 개의 큰 바다인 [ ] 대양이 있습니다.

③ 여섯 개의 평면으로 둘러싸인 입체를 [ ] 면체라고 합니다.

③ [ ] [二] [ ] 전쟁은 1950년 6월 25일에 일어났습니다.

④ 빨강, 노랑, 파랑, 하양, 검정의 다섯 가지 빛깔을 [ ] 색이라고 합니다.

교과서 어휘力

다음 그림과 설명을 보고 빈칸에 알맞은 한자를 쓰세요.

눈으로 보는 시각, 코로 냄새를 맡는 후각, 피부로 느끼는 촉각, 귀로 듣는 청각, 입으로 맛보는 미각의 다섯 가지 감각을 뜻해요.

[ ] 감

2주 4일

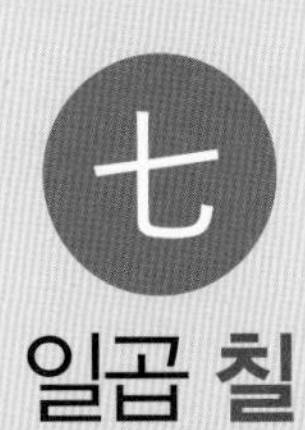

일곱 칠

숫자 7을 나타낸 글자로,
**일곱**을 뜻해요.

여덟 팔

숫자 8을 나타낸 글자로,
**여덟**을 뜻해요.

(부수) 一 (획수) 총 2획
(쓰는 순서) 一 七

(부수) 八 (획수) 총 2획
(쓰는 순서) ノ 八

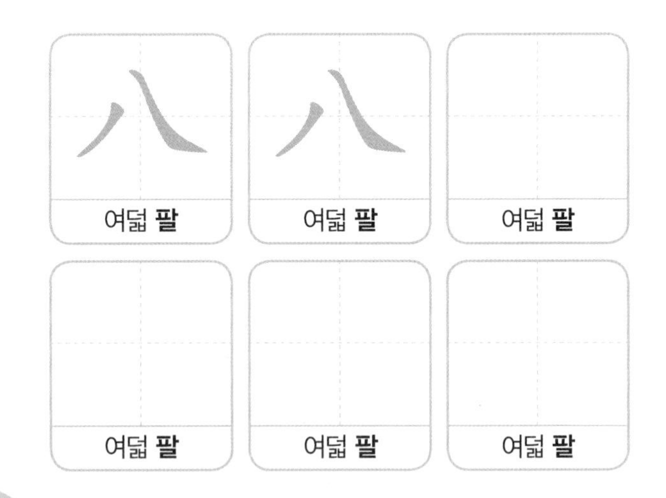



어휘力 사전

七 旬 旬: 열흘 순

- **칠순**: 일흔 날. 일흔 살.

七 顚 八 起 顚: 엎드러질 전 八: 여덟 팔 起: 일어날 기

- **칠전팔기**: 여러 번 실패해도 굴하지 않고 꾸준히 노력함.

四 方 八 方 四: 넉 사 方: 모 방

- **사방팔방**: 여기저기 모든 방향이나 방면.

八 道 江 山 道: 길 도 江: 강 강 山: 메 산

- **팔도강산**: 우리나라 전체의 자연 경치.

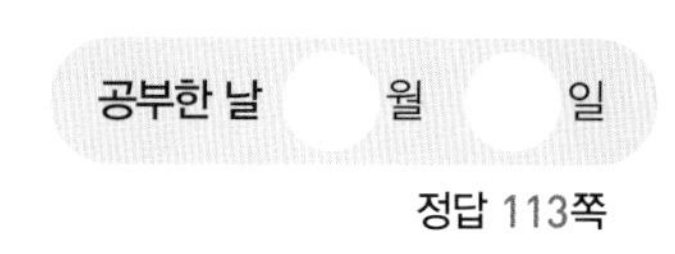

정답 113쪽

다음 한자의 훈과 음을 찾아 선으로 이으세요.

① 七 • • 일곱 칠 • • 八 ②
• 여덟 팔 •

밑줄 친 글자의 한자를 쓰세요.

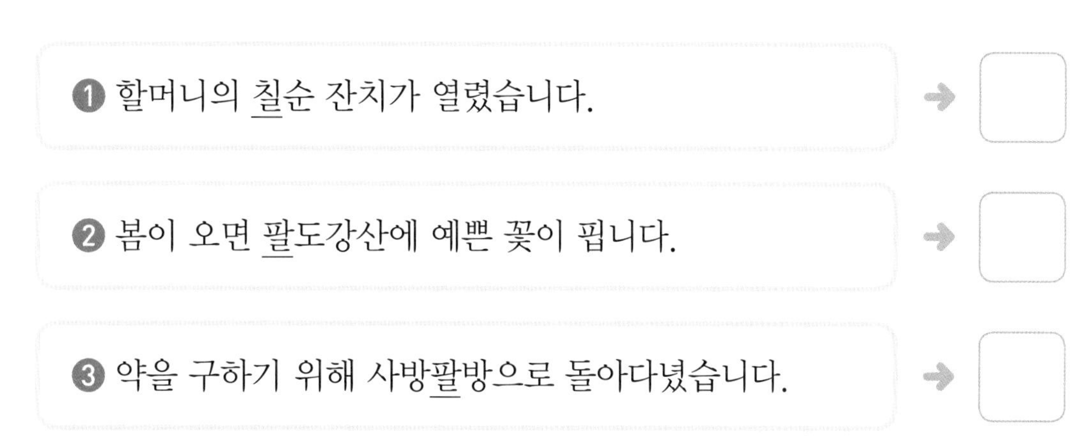

① 할머니의 칠순 잔치가 열렸습니다. → ☐

② 봄이 오면 팔도강산에 예쁜 꽃이 핍니다. → ☐

③ 약을 구하기 위해 사방팔방으로 돌아다녔습니다. → ☐

교과서 어휘力

다음 뜻을 보고 빈칸에 알맞은 한자를 쓰세요.

일곱 번 넘어지고 여덟 번 일어난다는 뜻으로, 여러 번 실패해도 굴하지 않고 꾸준히 노력함을 이르는 말이에요.

☐ 전 ☐ 기

아홉 구

숫자 9를 나타낸 글자로,
**아홉**을 뜻해요.

열 십

숫자 10을 나타낸 글자로,
**열**을 뜻해요.

(부수) 乙 (획수) 총 2획
(쓰는 순서) 丿 九

(부수) 十 (획수) 총 2획
(쓰는 순서) 一 十

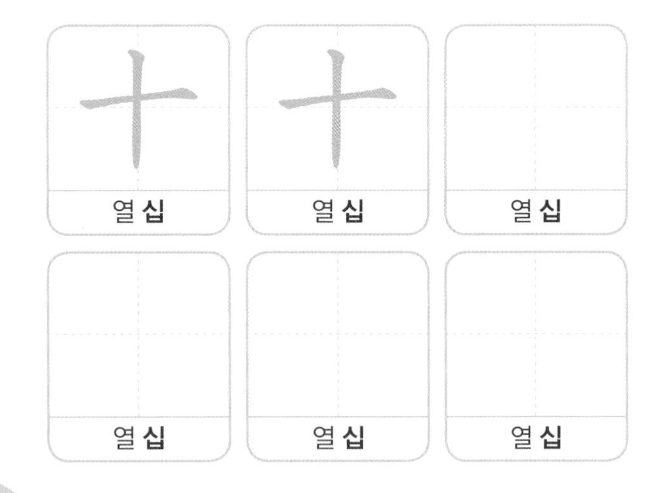

어휘力 사전

九 萬 里 萬: 일만 만 里: 마을 리
- **구만리**: 몹시 먼 거리를 빗대어 하는 말.

九 九 段 段: 층계 단
- **구구단**: 1~9까지의 각 수를 서로 곱해 그 값을 나타낸 것.

十 萬 萬: 일만 만
- **십만**: 만의 열 배가 되는 수.

十 字 字: 글자 자
- **십자**: 가로로 그은 선과 세로로 그은 선이 만나 이룬 모양.

정답 113쪽

다음 밑줄 친 말과 관련된 한자에 ○표 하세요.

다음 파란색 한자의 음을 쓰세요.

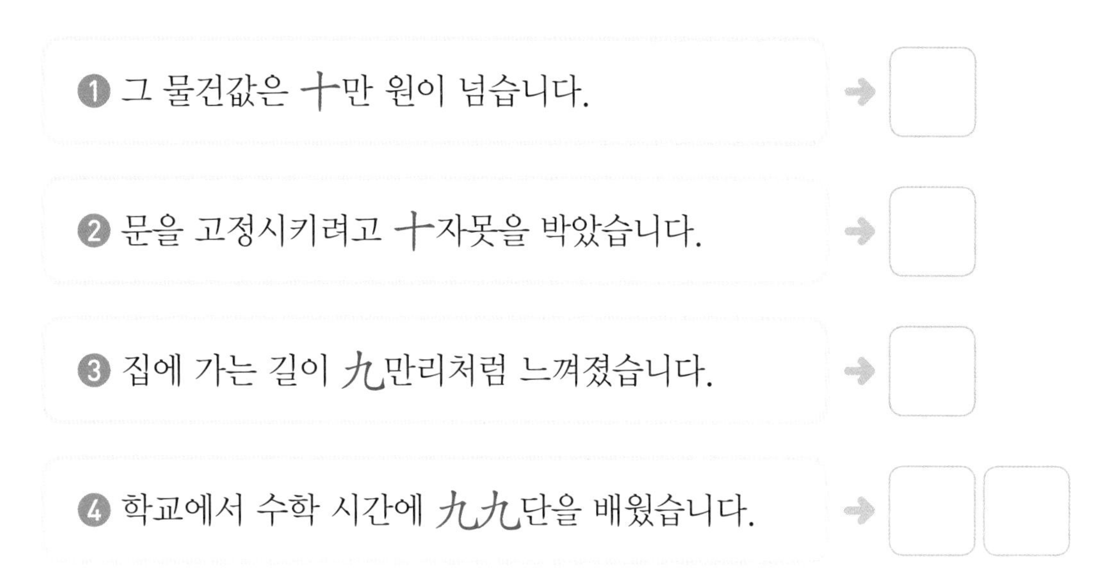

정답 113쪽

다음 한자의 훈과 음을 선으로 이으세요.

| | | |
|---|---|---|
| 1 十 • | | • 석 삼 |
| 2 三 • | | • 열 십 |
| 3 六 • | | • 아홉 구 |
| 4 五 • | | • 다섯 오 |
| 5 九 • | | • 여섯 륙 |

파란색으로 쓴 한자의 훈과 음을 쓰세요.

1 추석에 四촌을 만났습니다. 훈 ______ 음 ______

2 저는 초등학교 二학년입니다. 훈 ______ 음 ______

3 八월 십오일은 광복절입니다. 훈 ______ 음 ______

4 七월에는 여름방학을 합니다. 훈 ______ 음 ______

5 나우는 반에서 키가 제一 큽니다. 훈 ______ 음 ______

**[1~4]** 다음 (　　) 안에 있는 한자의 음을 쓰세요.

1. (三)각형
2. (四)거리
3. (五)학년
4. 북두(七)성

**[5~7]** 다음 훈이나 음에 알맞은 한자를 보기 에서 찾아 그 번호를 쓰세요.

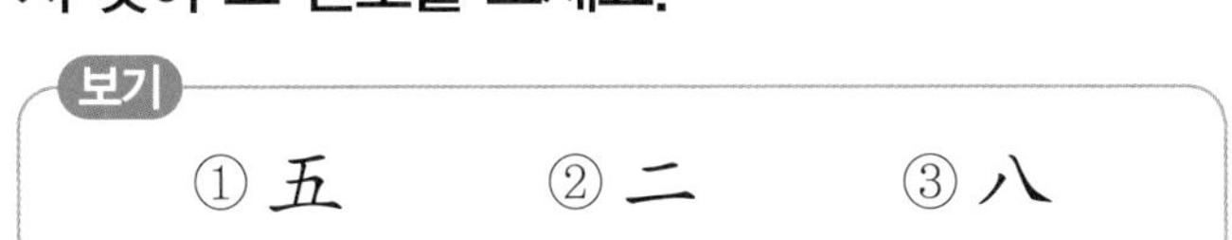


5. 이
6. 다섯
7. 여덟

**[8~11]** 다음 밑줄 친 말에 해당하는 한자를 보기 에서 찾아 그 번호를 쓰세요.

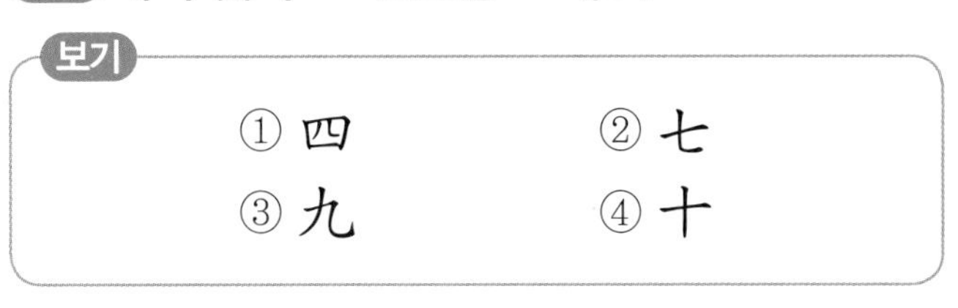


8. 나무 네 그루
9. 개미 열 마리
10. 일곱 빛깔 무지개
11. 꼬리가 아홉 달린 여우

**[12~15]** 다음 한자의 훈을 쓰세요.

12. 八
13. 五
14. 六
15. 七

**[16~18]** 다음 한자의 음을 보기 에서 찾아 그 번호를 쓰세요.

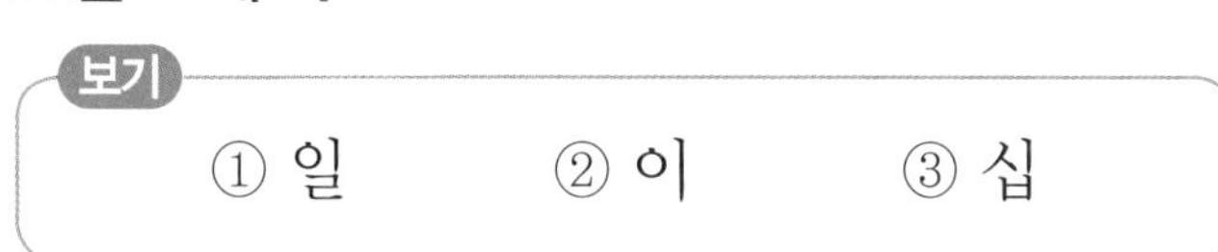


16. 十
17. 一
18. 二

**[19~20]** 다음 한자의 진하게 표시한 획은 몇 번째 쓰는지 보기 에서 찾아 그 번호를 쓰세요.

19. 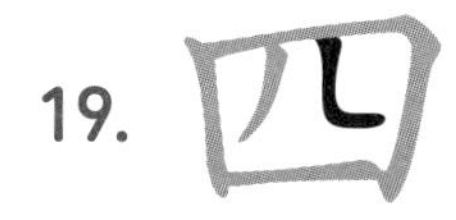

20. 

# 달력과 국경일

달력은 1년의 날짜를 순서에 맞게 월, 일, 요일로 표시한 것이에요. 달력에서 월과 일은 1, 2, 3, 4, 5…와 같은 숫자로 쓰여 있고, 이러한 숫자들은 一(일), 二(이), 三(삼), 四(사), 五(오)처럼 한자로도 나타낼 수 있어요.

그리고 달력에는 우리나라의 대표적인 국경일인 삼일절, 제헌절, 광복절, 개천절, 한글날 등도 표시되어 있어요.

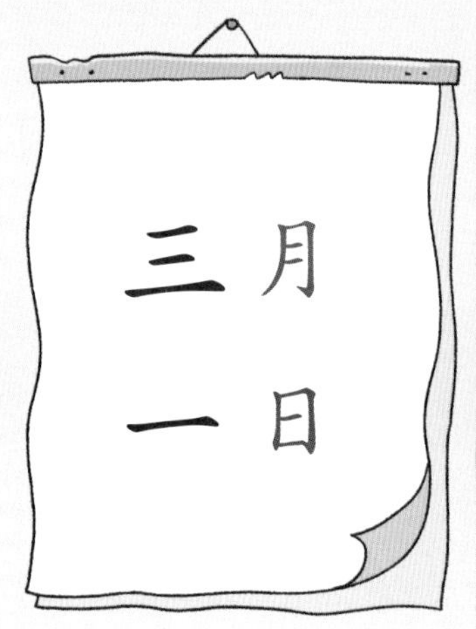

1919년 3월 1일, 한민족이 일본의 식민 통치에 항거하고, 독립 선언서를 발표하여 한국의 독립 의사를 세계에 알린 것을 기념하는 날이에요.

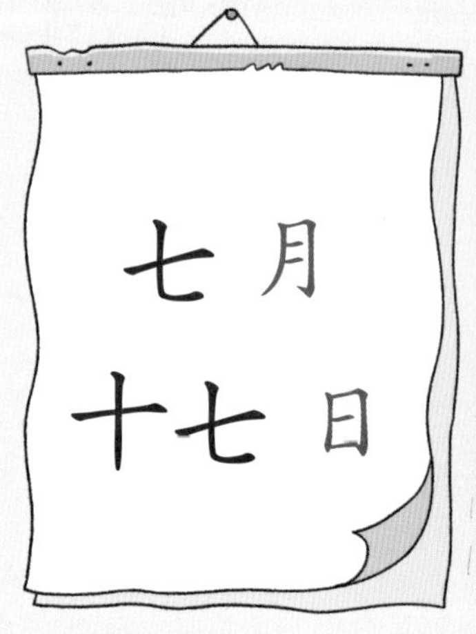

1948년 7월 17일, 대한민국 헌법을 사람들에게 널리 알린 것을 기념하는 국경일이에요.

1945년 8월 15일, 우리나라가 일본으로부터 해방된 것을 기념하고, 대한민국 정부 수립을 축하하는 날이에요.

단군이 최초의 민족 국가인 단군 조선을 건국했음을 기리는 뜻으로 제정된 국경일이에요.

세종 대왕이 훈민정음, 곧 오늘날의 한글을 만들어서 세상에 널리 퍼뜨린 것을 기념하기 위한 날이에요.

우리나라의 국경일이 이렇게 뜻깊은 날이었다니 새삼 놀랍지 않나요?

이제 여러분의 달력에 크게 동그라미 치고, 태극기를 다는 것도 잊지 마세요!

3주
1일
父
아비 부
母
어미 모
2일
兄
형 형
弟
아우 제

에는 가족이나 사람과 관련된 한자를 배워요.

## 父 아비 부

손에 돌도끼를 들고 있는 모습을 나타낸 글자로, **아버지**를 뜻해요.

## 母 어미 모

아이에게 젖을 먹이는 어머니의 모습을 나타낸 글자로, **어머니**를 뜻해요.

(부수) 父 (획수) 총 4획
(쓰는 순서) ノ ハ ク 父

(부수) 毋 (획수) 총 5획
(쓰는 순서) ㄴ 𠂉 母 母 母

### 어휘力 사전

父母 母: 어미 모
- **부모**: 아버지와 어머니.

父女 女: 계집 녀
- **부녀**: 아버지와 딸.

母國 國: 나라 국
- **모국**: 자신이 태어난 나라. 자기 나라.

母子 子: 아들 자
- **모자**: 어머니와 아들.

정답 114쪽

## 다음 한자의 훈과 음을 선으로 이으세요.

## 다음 파란색 한자의 음을 쓰세요.

❶ 母자는 함께 여행을 떠났습니다. → ☐

❷ 두 父녀는 생김새가 꼭 닮았습니다. → ☐

❸ 외국에 사는 이모는 母국을 그리워합니다. → ☐

❹ 父母님은 저를 언제나 사랑해 주십니다. → ☐☐

교과서 어휘力

## 다음 내용을 보고 빈칸에 알맞은 한자를 쓰세요.

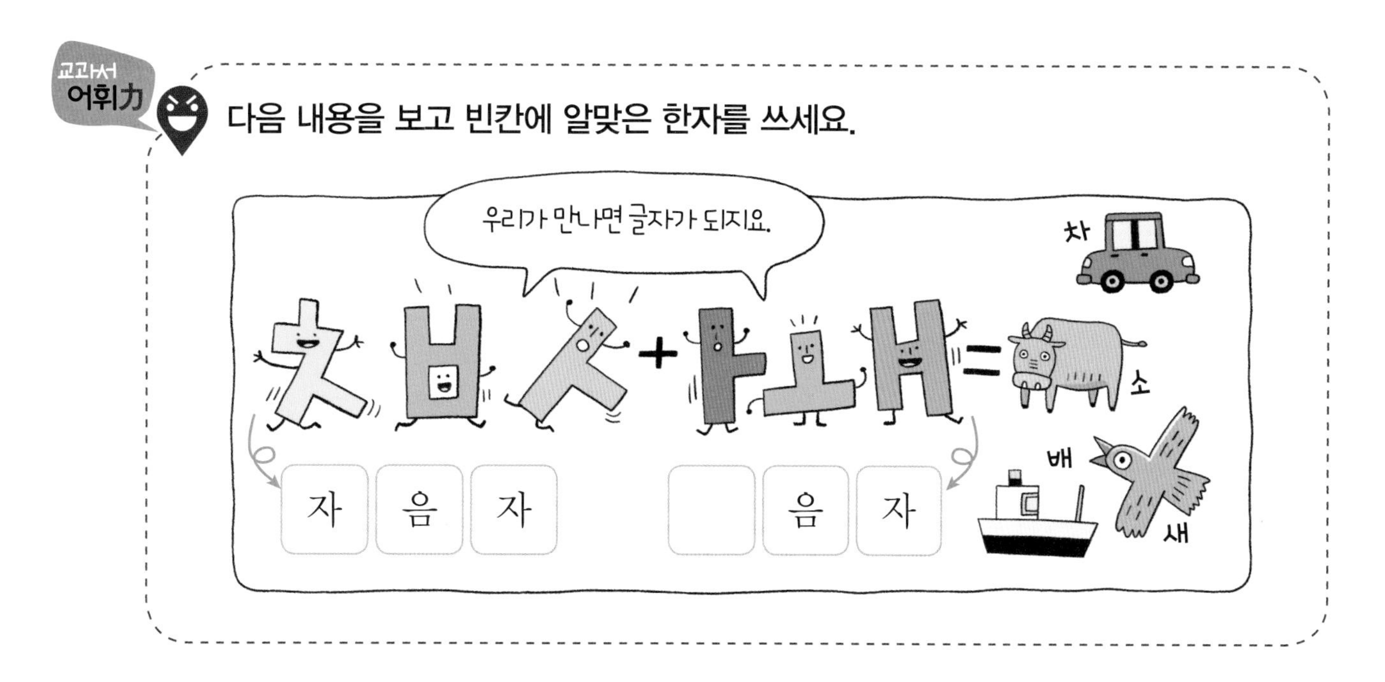

## 兄 형 형

입을 벌리고 동생을 가르치는 사람의 모습을 나타낸 글자로, **형**을 뜻해요.

(부수) 儿　(획수) 총 5획

(쓰는 순서) 丨 ㄇ 口 尸 兄

## 弟 아우 제

줄을 나무의 위에서 아래로 감는 모습을 나타낸 글자로, 형제 중 아래인 **아우**를 뜻해요.

(부수) 弓　(획수) 총 7획

(쓰는 순서) 丶 丷 䒑 当 弚 弟 弟

### 어휘力 사전

兄弟　弟: 아우 제

- **형제**: 형과 아우.

學父兄　學: 배울 학　父: 아비 부

- **학부형**: 학생의 부모나 보호자.

弟子　子: 아들 자

- **제자**: 선생님에게 배우는 사람.

呼兄呼弟　呼: 부를 호　兄: 형 형

- **호형호제**: 서로 형이니 아우니 하고 부름.

정답 114쪽

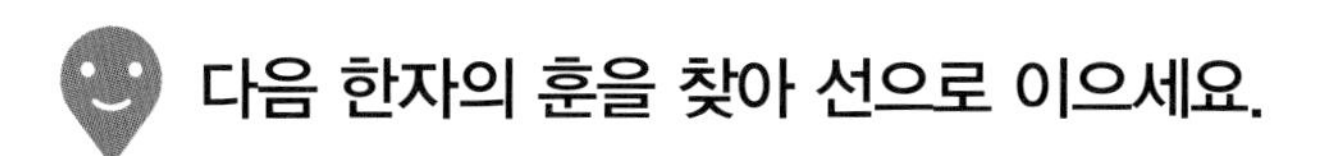

다음 파란색 한자의 음을 쓰세요.

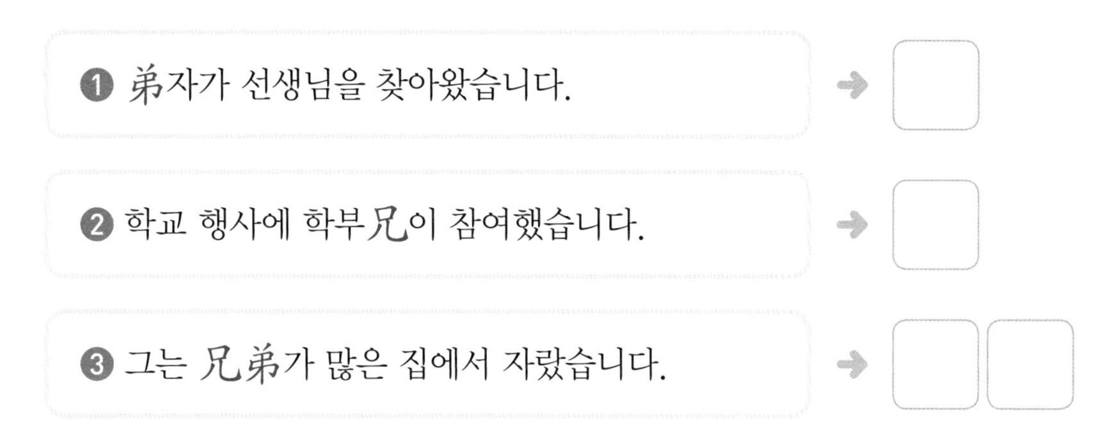

## 女
### 계집 녀

손을 앞으로 모으고 무릎을 꿇고 앉은 여자의 모습을 나타낸 글자로, **여자**를 뜻해요.

## 人

### 사람 인

허리를 굽히고 팔을 편 사람의 모습을 나타낸 글자로, **사람**을 뜻해요.

(부수) 女 (획수) 총 3획
(쓰는 순서) ㄑ 𡿨 女

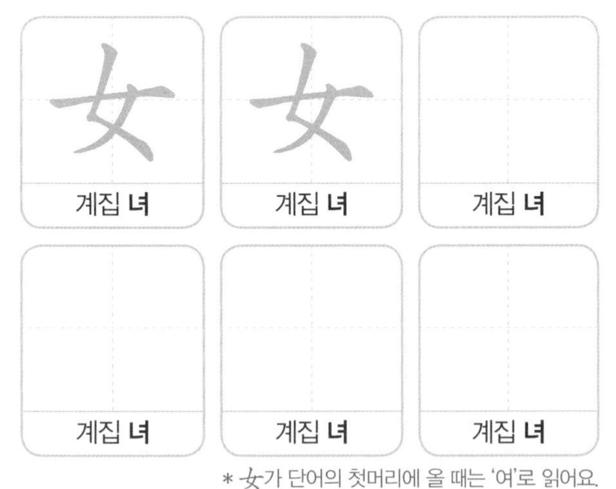


* 女가 단어의 첫머리에 올 때는 '여'로 읽어요.

(부수) 人 (획수) 총 2획
(쓰는 순서) ノ 人

### 어휘力 사전

女 子 子: 아들 자
- **여자**: 여성인 사람.

孫 女 孫: 손자 손
- **손녀**: 자식의 딸.

人 生 生: 날 생
- **인생**: 사람이 세상을 살아가는 일.

人 形 形: 모양 형
- **인형**: 사람의 모양으로 만든 장난감.

정답 114쪽

다음 한자의 음을 찾아 ○표 하세요.

❶ 女 남 녀 ❷ 人 인 입

다음 밑줄 친 글자의 한자를 쓰세요.

❶ 그는 행복한 <u>인</u>생을 살았습니다. ➔ [ ]

❷ 할아버지가 손<u>녀</u>와 함께 걸어갑니다. ➔ [ ]

❸ 성훈이는 <u>인</u>형을 선물로 받았습니다. ➔ [ ]

❹ 왼쪽은 <u>여</u>자, 오른쪽은 남자 화장실입니다. ➔ [ ]

교과서 어휘力

다음 내용을 보고 빈칸에 알맞은 한자를 쓰세요.

나라마다 [ ] 사 방법이 달라요!

집 실

사람이 사는 집의 모습을 나타낸 글자로,
**집** 또는 **방**을 뜻해요.

(부수) 宀 (획수) 총 9획

(쓰는 순서) 丶 丶 宀 宀 宀 宀 宀 室 室

門

문 문

집으로 들어갈 때에 있는
큰 문을 나타낸 글자로, **문**을 뜻해요.

(부수) 門 (획수) 총 8획

(쓰는 순서) 丨 𠃍 𠃍 戶 門 門 門 門

## 어휘力 사전

室 外 外: 바깥 외

- **실외**: 방이나 건물의 밖. 바깥.

王 室 王: 임금 왕

- **왕실**: 왕의 집안.

大 門 大: 큰 대

- **대문**: 담이나 벽에 나 있는 큰 문.

正 門 正: 바를 정

- **정문**: 사람이나 차들이 주로 드나드는 문.

정답 114쪽

## 다음 밑줄 친 말을 나타내는 한자에 ○표 하세요.

❶

❷

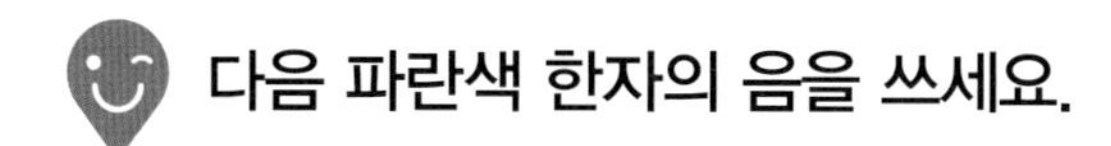

## 다음 파란색 한자의 음을 쓰세요.

❶ 학교 정門에서 민호를 만났습니다. → [ ]

❷ 室외에서는 안전하게 행동해야 합니다. → [ ]

❸ 밖에 나갈 때에는 대門을 잘 닫아야 합니다. → [ ]

❹ 수업 시간에 조선 왕室에 대해 배웠습니다. → [ ]

교과서 어휘力

## 다음 내용을 보고 빈칸에 알맞은 한자를 쓰세요.

# 寸 마디 촌

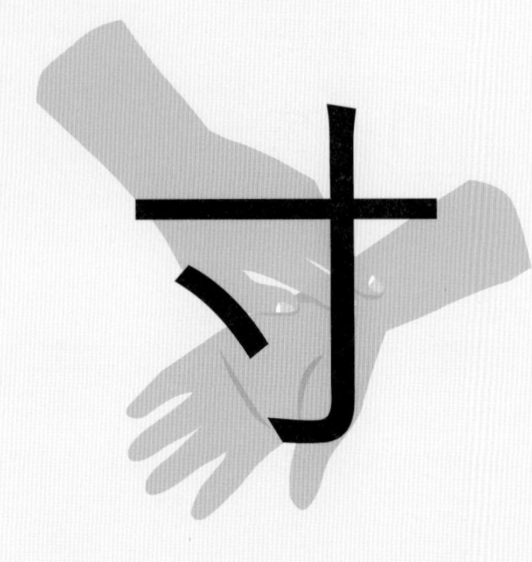

손목에서 맥박이 뛰는 곳까지를 나타낸 글자로, **마디**를 뜻해요.

# 長 긴 장

머리카락이 길게 휘날리는 노인을 나타낸 글자로, **길다** 또는 **어른**을 뜻해요.

(부수) 寸 (획수) 총 3획

(쓰는 순서) 一 十 寸

(부수) 長 (획수) 총 8획

(쓰는 순서) 丨 ｒ ｆ ｆ 트 톺 镸 長

## 어휘力 사전

**三 寸** 三: 석 삼

- **삼촌**: 주로 결혼하지 않은 아버지의 남자 형제를 부르는 말.

**四 寸** 四: 넉 사

- **사촌**: 아버지의 친형제자매의 아들이나 딸.

**長 女** 女: 계집 녀

- **장녀**: 딸 중에서 첫째. 큰딸.

**校 長** 校: 학교 교

- **교장**: 학교에서 가장 높은 직위에 있는 사람.

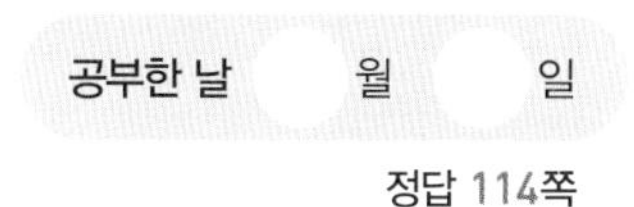


정답 114쪽

다음 한자의 훈과 음을 찾아 선으로 이으세요.

다음 파란색 한자의 음을 쓰세요.

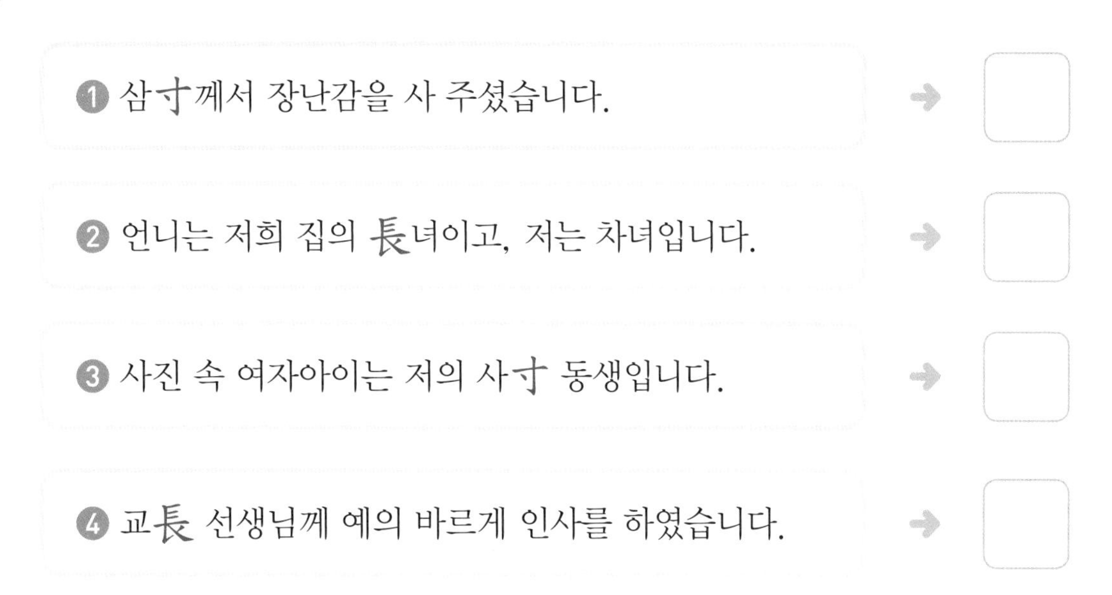


교과서 어휘力

다음 사진이 나타내는 것이 무엇인지 빈칸에 알맞은 한자를 쓰세요.

정답 114쪽

다음 한자의 훈과 음을 선으로 이으세요.

| | | |
|---|---|---|
| 1 | 父 | 계집 녀 |
| 2 | 母 | 아비 부 |
| 3 | 女 | 어미 모 |
| 4 | 弟 | 사람 인 |
| 5 | 人 | 아우 제 |

파란색으로 쓴 한자의 훈과 음을 쓰세요.

1 兄과 축구를 했습니다. 훈 ______ 음 ______

2 열린 창門을 닫습니다. 훈 ______ 음 ______

3 삼寸의 결혼식 날입니다. 훈 ______ 음 ______

4 室내에서 뛰면 안 됩니다. 훈 ______ 음 ______

5 교長 선생님의 말씀을 듣습니다. 훈 ______ 음 ______

정답 114쪽

**[1~3]** 다음 (　　) 안에 있는 한자의 음을 쓰세요.

1. 학부(兄)
2. 왕(室)
3. 외삼(寸)

**[4~6]** 다음 훈이나 음에 알맞은 한자를 보기에서 찾아 그 번호를 쓰세요.

4. 인
5. 아비
6. 어미

**[7~10]** 다음 밑줄 친 말에 해당하는 한자를 보기에서 찾아 그 번호를 쓰세요.

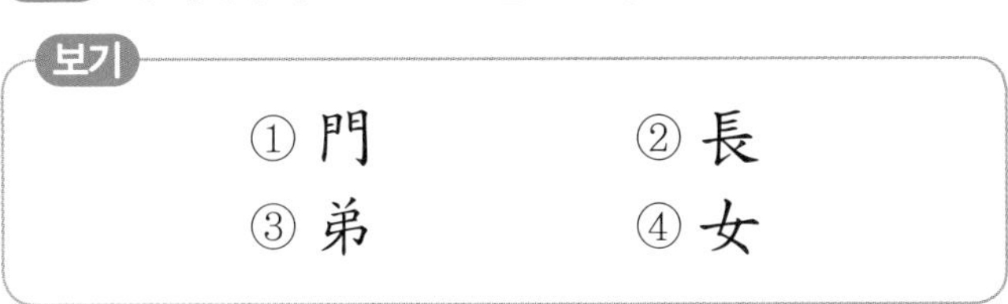


7. 동생을 안아 주었습니다.
8. 긴 머리를 짧게 자릅니다.
9. 여자 아이가 태어났습니다.
10. 밖에 나갈 때 문을 잠급니다.

**[11~14]** 다음 한자의 훈을 보기에서 찾아 그 번호를 쓰세요.

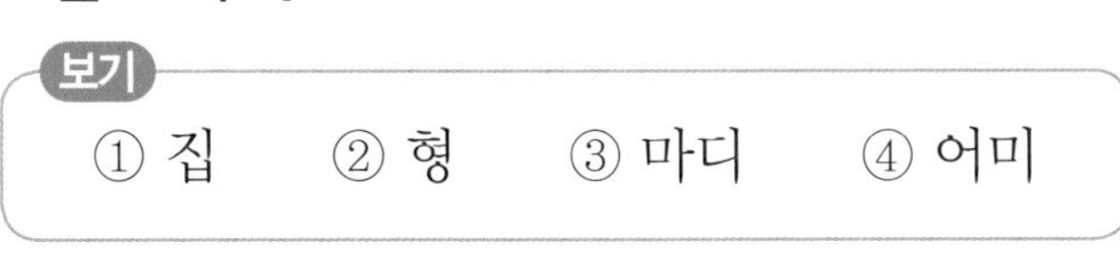


11. 室
12. 寸
13. 母
14. 兄

**[15~18]** 다음 한자의 훈과 음을 쓰세요.

15. 弟
16. 父
17. 長
18. 人

**[19~20]** 다음 한자의 진하게 표시한 획은 몇 번째 쓰는지 보기에서 찾아 그 번호를 쓰세요.

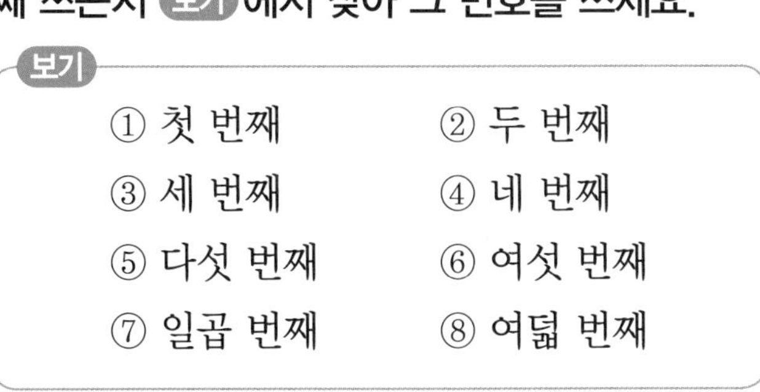


19. 

20. 

# 가족과 촌수

父(부), 母(모), 兄(형), 弟(제)는 가족을 나타내는 한자예요. 그리고 이 한자를 이용해서 다른 가족을 나타내는 말도 만들 수 있어요. 예를 들어 할아버지는 祖父(조부), 할머니는 祖母(조모), 작은 아버지는 叔父(숙부), 작은 어머니는 叔母(숙모)라고 부른답니다.

가족 사이에는 그 관계를 나타내는 寸數(촌수)라는 것이 있어요. 촌수는 어떻게 세는지 그림을 보면서 확인해 볼까요? 나와 부모님은 1촌, 형제는 2촌 관계예요. 그래서 아버지의 형제와 나는 그 두 촌수를 더한 3촌 관계가 되고, 사촌 동생은 거기에 1촌을 더해서 4촌 관계가 되는 것이랍니다.

어때요? 가족을 부르는 말이 촌수와 관련이 있다니 정말 재미있지요? 조금 어려울 수 있지만 찬찬히 생각해 보면 그 관계를 알 수 있을 거예요. 앞으로 가족을 부를 때 그 촌수도 한번 기억해 보도록 해요.

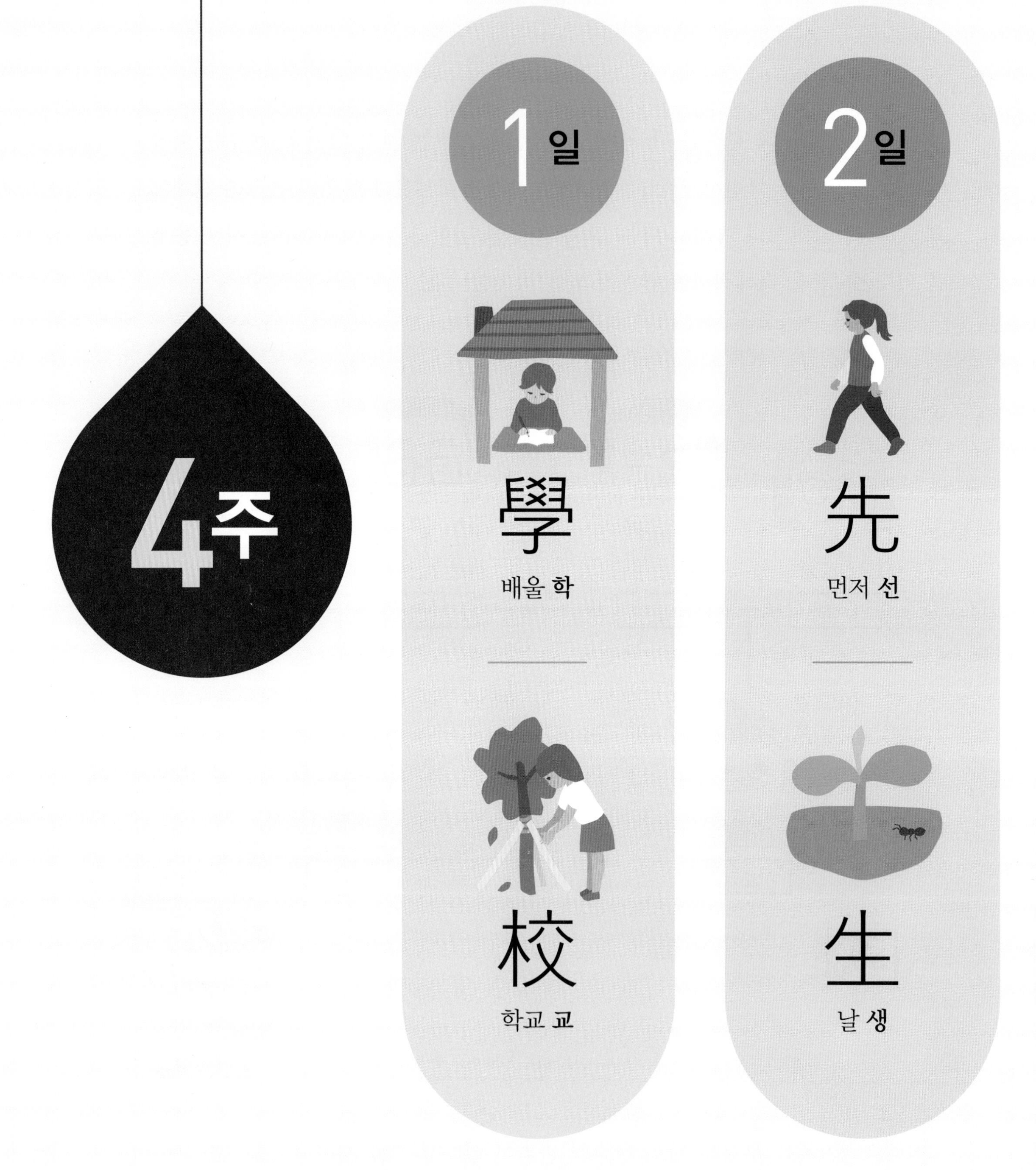
4주
1일
學
배울 학
校
학교 교
2일
先
먼저 선
生
날 생

3일
敎
가르칠 교
國
나라 국
4일
韓
한국/나라 한
軍
군사 군
5일
王
임금 왕
民
백성 민

4주 에는 학교나 나라와 관련된 한자를 배워요.

# 學
배울 학

집 안에서 아이가 공부를 하며 배우는 모습을 나타낸 글자로, **배우다**를 뜻해요.

# 校
학교 교

잘못된 것을 바로잡는 모습을 나타낸 글자로, 바르게 성장하도록 하는 **학교**를 뜻해요.

(부수) 子 (획수) 총 16획

(쓰는 순서)

(부수) 木 (획수) 총 10획

(쓰는 순서)

## 어휘力 사전

學 校 校: 학교 교

- **학교**: 학생을 가르치는 공공의 교육 기관이나 그 장소.

入 學 入: 들 입

- **입학**: 학생이 되어 공부하기 위해 학교에 들어감.

校 門 門: 문 문

- **교문**: 학교로 들어가기 위해 정면에 만든 문.

校 服 服: 옷 복

- **교복**: 학교에서 특별히 정하여 학생들이 입게 하는 옷.

공부한 날 월 일

정답 115쪽

다음 한자의 훈과 음을 쓰세요.

❶ 學 (　　　)　❷ 校 (　　　)

다음 파란색 한자의 음을 찾아 선으로 이으세요.

| | |
|---|---|
| ❶ 중학교에 가면 校服을 입습니다. | 학교 |
| ❷ 오늘은 入學식이 있는 날입니다. | 교복 |
| ❸ 채우는 學校에 가는 것이 즐겁습니다. | 교문 |
| ❹ 校門 앞에서 선생님께 인사를 드렸습니다. | 입학 |

교과서 어휘力

다음은 어디에서 볼 수 있는 장소를 나타낸 것인지 빈칸에 알맞은 한자를 쓰세요.

□□에서 볼 수 있는 장소

나는 교실!

나는 도서관!

나는 강당!

# 先 먼저 선

한 발짝 앞서 가는 사람의 모습을 나타낸 글자로, **먼저**를 뜻해요.

(부수) 儿 (획수) 총 6획
(쓰는 순서) 丿 𠂉 ⺧ 生 先 先

# 生 날 생

땅 위로 새싹이 돋아나는 모습을 나타낸 글자로, **나다** 또는 **살다**를 뜻해요.

(부수) 生 (획수) 총 5획
(쓰는 순서) 丿 𠂉 𠂉 牛 生

## 어휘力 사전

先生 生: 날 생
- **선생**: 학생을 가르치는 직업을 가진 사람.

先頭 頭: 머리 두
- **선두**: 어떤 일을 할 때 맨 앞에 서는 사람이나 그 위치.

學生 學: 배울 학
- **학생**: 학교에 다니면서 공부하는 사람.

同生 同: 한가지 동
- **동생**: 한 부모의 자식 중 나이가 적은 사람.

정답 115쪽

다음 한자의 음을 찾아 ○표 하세요.

다음 빈칸에 들어갈 알맞은 한자를 찾아 선으로 이으세요.

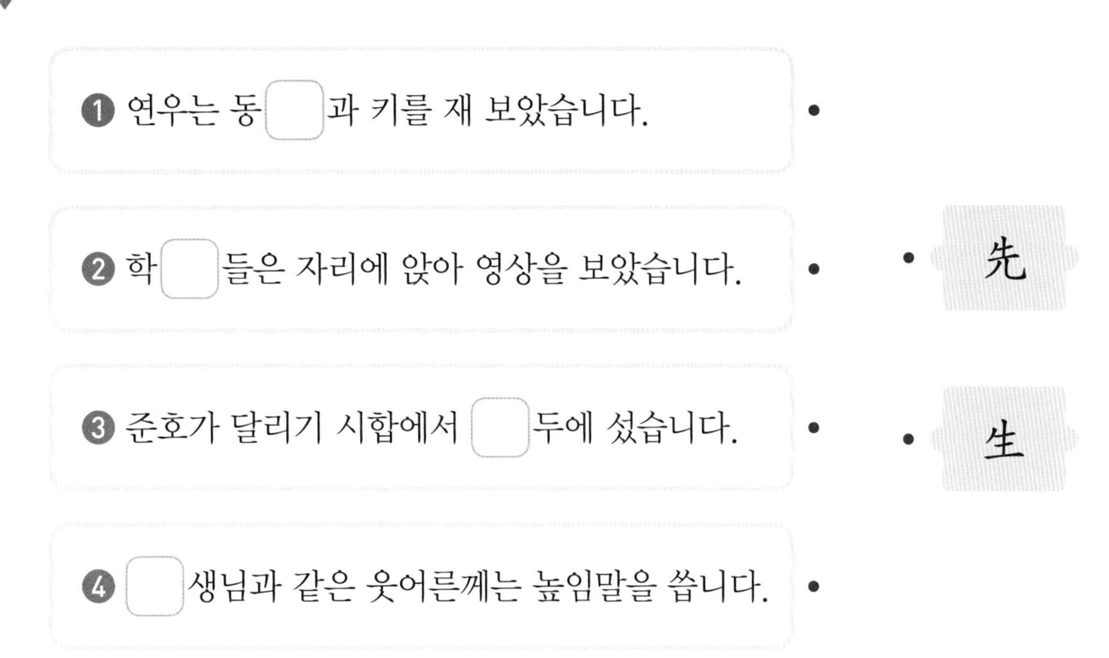


교과서 어휘力

다음 낱말의 사진을 보고 빈칸에 들어갈 알맞은 한자를 쓰세요.

## 가르칠 교

선생님이 회초리를 들고 아이를 가르치는 모습을 나타낸 글자로, **가르치다**를 뜻해요.

(부수) 攵 (획수) 총 11획

(쓰는 순서) 敎

國

## 나라 국

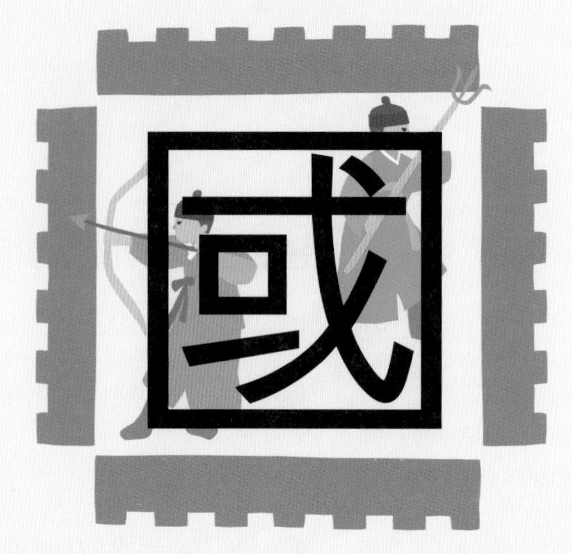


백성들이 무기를 들고 성 안에서 나라를 지키는 모습을 나타낸 글자로, **나라**를 뜻해요.

(부수) 口 (획수) 총 11획

(쓰는 순서) 國

### 어휘力 사전

敎 室 室: 집 실

- **교실**: 학교에서 학습 활동이 이루어지는 방.

敎 科 書 科: 과목 과 書: 책 서

- **교과서**: 학교에서 가르치는 데 쓰는 책.

國 語 語: 말씀 어

- **국어**: 한 나라의 국민이 쓰는 말. 한국어.

國 旗 旗: 기 기

- **국기**: 태극기와 같이 한 나라를 나타내는 깃발.

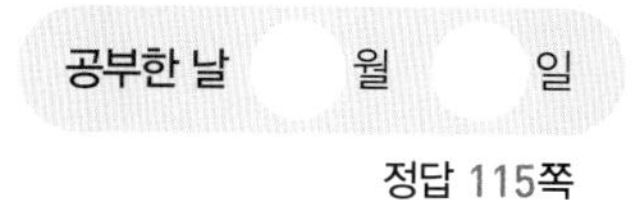


정답 115쪽

다음 한자의 훈을 찾아 ○표 하세요.

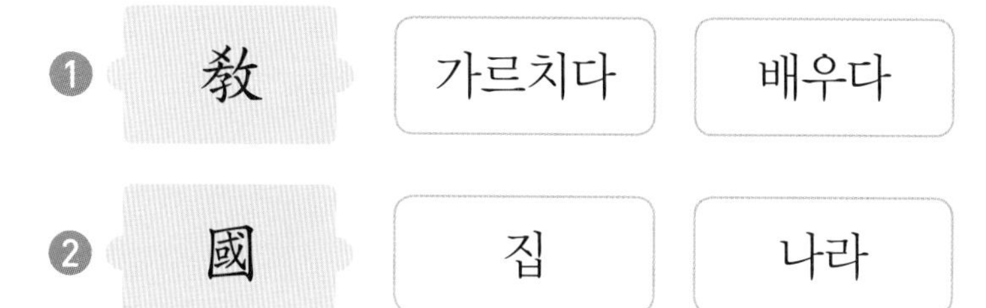


다음 밑줄 친 글자를 한자로 쓰세요.

❶ 새 학년이 되어 새로운 교실에 갔습니다. → ☐

❷ 연우는 과목 중에서 국어를 가장 좋아합니다. → ☐

❸ 선생님께서 여러 개의 교과서를 주셨습니다. → ☐

❹ 여러 무늬와 색깔의 국기들이 출렁거렸습니다. → ☐

교과서 어휘力

다음은 무엇에 대한 사진인지 빈칸에 알맞은 한자를 쓰세요.

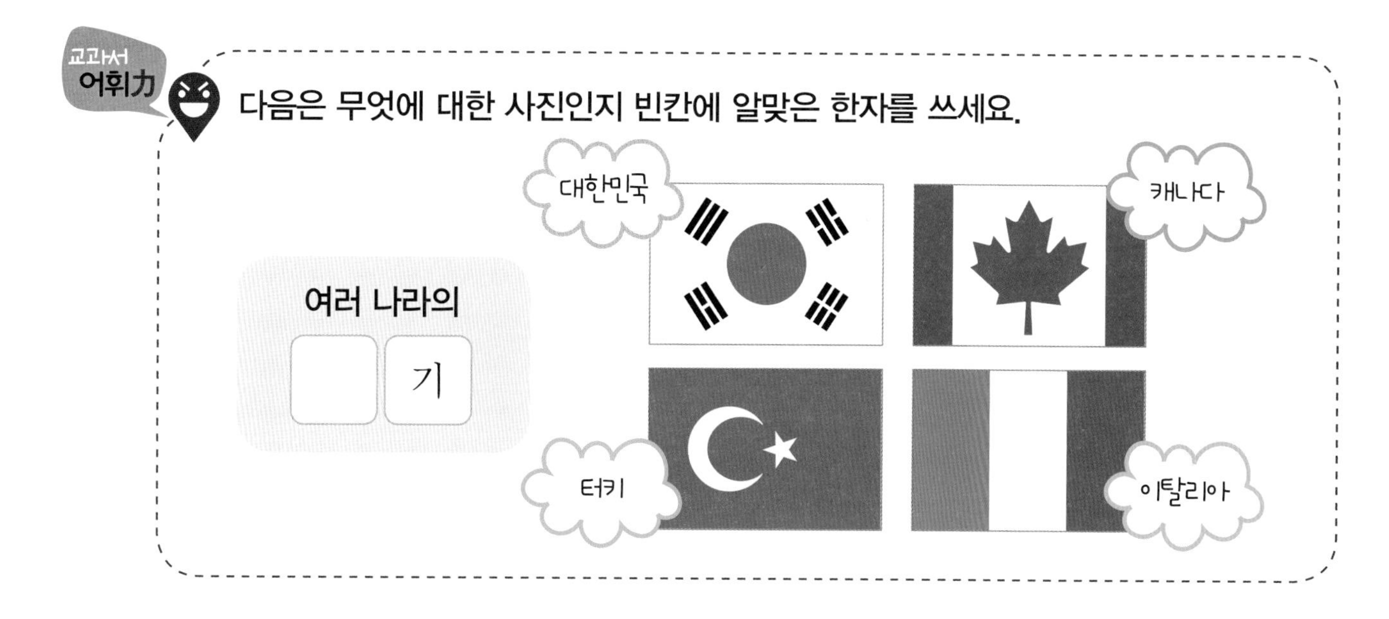

4주 4일

## 韓

### 한국 한

동쪽에서 해가 떠올라 성을 비추는 모습을 나타낸 글자로, **대한민국**을 뜻해요.

## 軍

### 군사 군

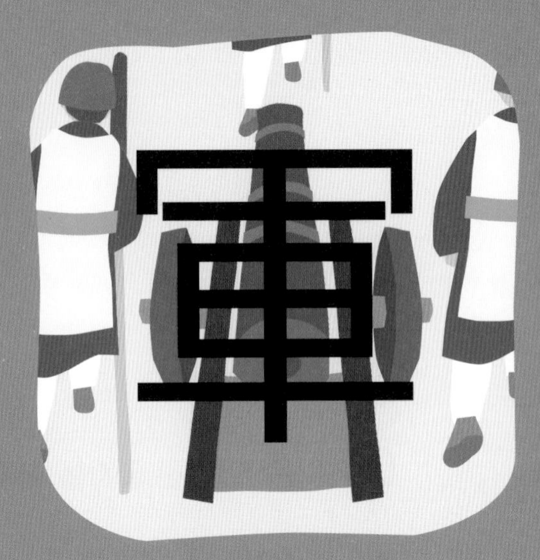

전차를 둘러싼 군사들의 모습을 나타낸 글자로, **군사**를 뜻해요.

(부수) 韋 (획수) 총 17획

(쓰는 순서) 一 十 𠂇 古 古 古 卓 卓 卓 韩 韩 韩 韩 韩 韩 韓 韓

| 韓 | 韓 | |
|---|---|---|
| 한국/나라 **한** | 한국/나라 **한** | 한국/나라 **한** |
| | | |
| 한국/나라 **한** | 한국/나라 **한** | 한국/나라 **한** |

* 韓은 '나라 한'으로도 쓰여요.

(부수) 車 (획수) 총 9획

(쓰는 순서) 丶 冖 冖 冖 冖 冒 冒 宣 軍

| 軍 | 軍 | |
|---|---|---|
| 군사 **군** | 군사 **군** | 군사 **군** |
| | | |
| 군사 **군** | 군사 **군** | 군사 **군** |

### 어휘力 사전

大 韓 民 國 — 大: 큰 대, 民: 백성 민, 國: 나라 국

- **대한민국**: 우리나라의 이름.

韓 服 — 服: 옷 복

- **한복**: 한국 사람이 입는 전통적인 옷.

軍 人 — 人: 사람 인

- **군인**: 훈련을 받고 군에 속해 일하는 사람.

將 軍 — 將: 장수 장

- **장군**: 군대를 통솔하고 지휘하는 군인.

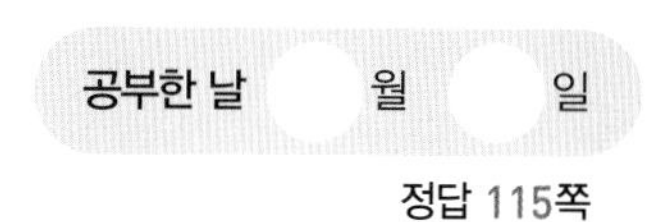


정답 115쪽

## 다음 한자의 음을 찾아 선으로 이으세요.

## 다음 파란색 한자의 음을 쓰세요.

① 장軍은 군사들을 이끌고 싸움터로 갔어요. → ☐

② 저는 커서 나라를 지키는 軍인이 되고 싶어요. → ☐

③ 잠시 후 대韓민국 배구 국가 대표의 경기가 열려요. → ☐

④ 명절에는 우리나라의 고유한 옷인 韓복을 입어요. → ☐

교과서 어휘力

## 다음 그림을 보고 빈칸에 알맞은 한자를 쓰세요.

① ☐ 복　② ☐ 우　③ ☐ 식

## 王 임금 왕

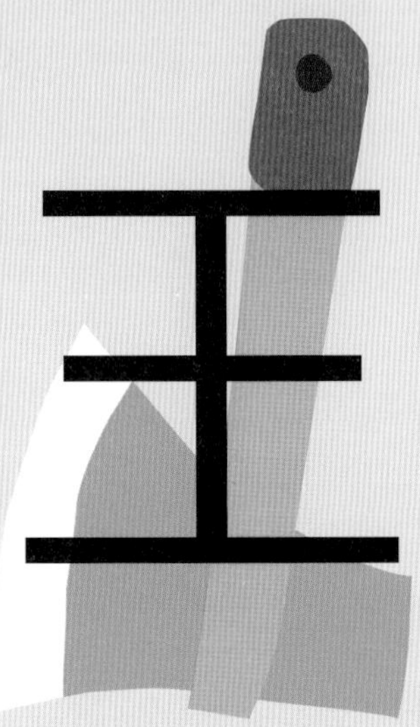

힘이나 권력을 나타내는 도끼의 모습을 나타낸 글자로, **임금**을 뜻해요.

## 民 백성 민

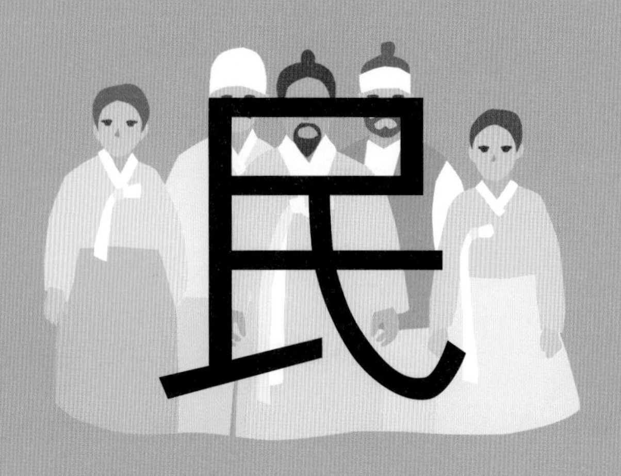

나라를 이루는 사람들이 모여 있는 모습을 나타낸 글자로, **백성**을 뜻해요.

(부수) 王(玉) (획수) 총 4획

(쓰는 순서) 一 二 干 王

(부수) 氏 (획수) 총 5획

(쓰는 순서) ㇕ ㇕ 尸 ⺶ 民

### 어휘力 사전

王 朝 朝: 아침 조

- **왕조**: 한 계통의 왕들이 다스리는 나라.

國 王 國: 나라 국

- **국왕**: 한 나라의 임금.

國 民 國: 나라 국

- **국민**: 한 나라에 속하며 그 나라를 이루는 사람들.

民 族 族: 겨레 족

- **민족**: 오랫동안 같은 지역에서 대대로 함께 산 사람들.

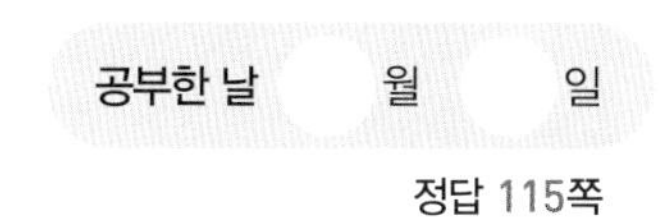


정답 115쪽

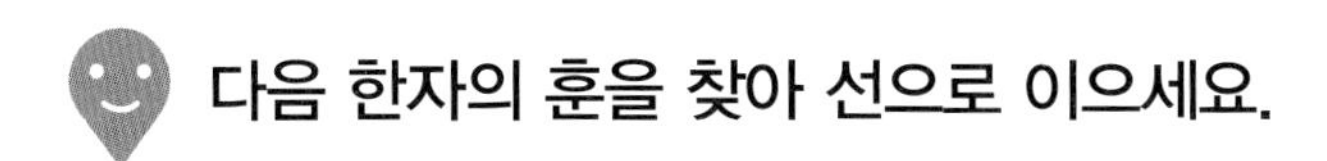

다음 한자의 훈을 찾아 선으로 이으세요.

다음 밑줄 친 글자의 한자를 찾아 ○표 하세요.

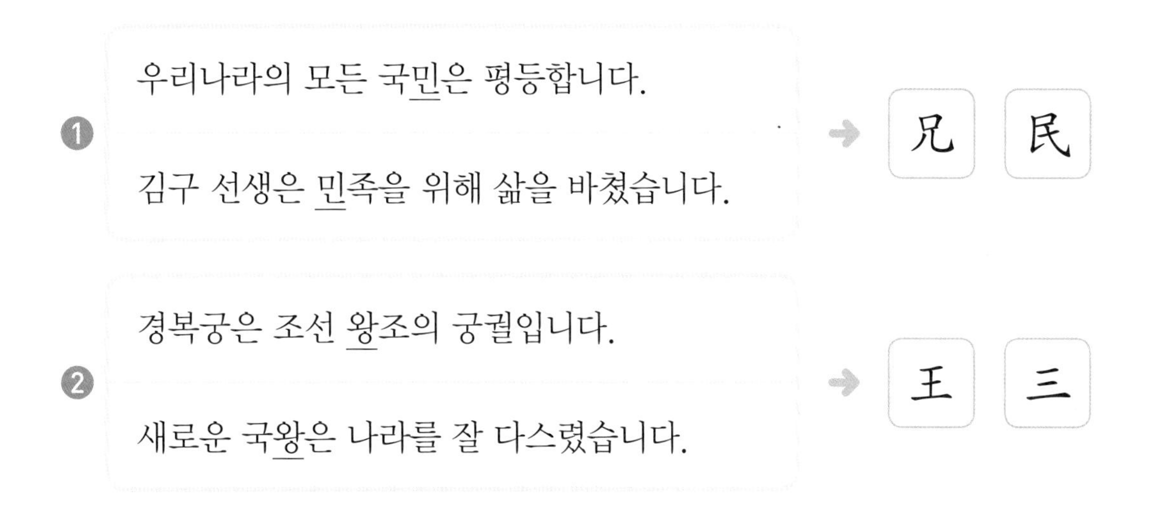

정답 115쪽

다음 한자의 훈과 음을 선으로 이으세요.

| |  | |  |
|---|---|---|---|
| 1 | 校 | • • | 날 생 |
| 2 | 生 | • • | 임금 왕 |
| 3 | 國 | • • | 군사 군 |
| 4 | 軍 | • • | 나라 국 |
| 5 | 王 | • • | 학교 교 |

파란색으로 쓴 한자의 훈과 음을 쓰세요.

1. 韓복을 입습니다. 훈 ______ 음 ______
2. 先생님께서 부르십니다. 훈 ______ 음 ______
3. 국어 教과서를 읽습니다. 훈 ______ 음 ______
4. 우리 형은 중學생입니다. 훈 ______ 음 ______
5. 설은 民족의 큰 명절입니다. 훈 ______ 음 ______

**[1~3]** 다음 (   ) 안에 있는 한자의 음을 쓰세요.

1. (學)년
2. (敎)실
3. 국(王)

**[4~7]** 다음 훈이나 음에 알맞은 한자를 보기 에서 찾아 그 번호를 쓰세요.

① 軍　② 國　③ 生　④ 民

4. 생
5. 군
6. 나라
7. 백성

**[8~11]** 다음 밑줄 친 말에 해당하는 한자를 보기 에서 찾아 그 번호를 쓰세요.

① 校　② 韓　③ 軍　④ 先

8. 학교에 갑니다.
9. 세아의 꿈은 군인입니다.
10. 대한민국의 수도는 서울입니다.
11. 제일 먼저 약속 장소에 도착했습니다.

**[12~15]** 다음 한자의 훈과 음을 쓰세요.

12. 校
13. 軍
14. 生
15. 王

**[16~18]** 다음 한자의 음을 보기 에서 찾아 그 번호를 쓰세요.

① 선　② 국　③ 한

16. 先
17. 韓
18. 國

**[19~20]** 다음 한자의 진하게 표시한 획은 몇 번째 쓰는지 보기 에서 찾아 그 번호를 쓰세요.

보기

① 첫 번째　② 두 번째
③ 세 번째　④ 네 번째
⑤ 다섯 번째

19. 王
20. 生

쏙 교과서 한자

# 학교와 교실

學校(학교)는 우리가 공부를 하는 곳이에요. 학교에서도 한자로 된 친숙한 단어들을 찾아볼 수 있어요. 먼저, 학교의 문인 校門(교문)을 통해 학교로 들어가면, 태극기를 다는 國旗(국기) 게양대 등을 볼 수 있어요.

이제 教室(교실) 안의 모습을 살펴볼까요? 교실은 학교에서 학습이 이루어지는 곳으로, 先生(선생)님과 學生(학생)이 教科書(교과서)를 보며 여러 가지 활동을 해요.

우리가 매일 가는 학교와 관련된 한자어가 이렇게 많다니, 한자가 더욱 친근하게 느껴지지요? 앞으로 학교와 관련된 말을 사용할 때, 어떤 한자가 쓰였는지도 한번 떠올려 보도록 해요.

1일

東

동녘 **동**

西

서녘 **서**

2일

南

남녘 **남**

北

북녘 **북**/달아날 **배**

5주 에는 위치나 크기와 관련된 한자를 배워요.

## 동녘 동

동쪽에서 떠오른 해가 나무에 걸려 있는 모습을 나타낸 글자로, **동쪽**을 뜻해요.

## 西 서녘 서

해가 서쪽으로 넘어갈 때 새가 둥지에 돌아오는 모습을 나타낸 글자로, **서쪽**을 뜻해요.

(부수) 木 (획수) 총 8획

(쓰는 순서) 東

(부수) 襾 (획수) 총 6획

(쓰는 순서) 西

### 어휘力 사전

東 海 — 海: 바다 해

- **동해**: 동쪽에 있는 바다. 특히 한국의 동쪽 바다.

風: 바람 풍

- **동풍**: 동쪽에서 불어오는 바람. 봄바람.

西 海 — 海: 바다 해

- **서해**: 서쪽에 있는 바다. 특히 한국의 서쪽 바다.

西 洋 — 洋: 큰 바다 양

- **서양**: 유럽과 남북아메리카의 여러 나라.

정답 116쪽

다음 한자의 훈을 찾아 선으로 이으세요.

❶ 東 • • 서녘

❷ 西 • • 동녘

다음 파란색 한자의 음을 쓰세요.

❶ 피아노는 西양의 악기입니다. → ☐

❷ 봄이 되니 東풍이 불어옵니다. → ☐

❸ 西해에서 조개를 잡았습니다. → ☐

❹ 여름 방학에 가족과 東해로 놀러갔습니다. → ☐

교과서 어휘力

빈칸에 알맞은 한자를 넣어 문장을 완성하세요.

해는 ☐ 쪽에서 떠서 ☐ 쪽으로 집니다.

# 南
## 남녘 남

옛날 중국 남쪽 지방 사람들이 사용하던 악기의 모습을 나타낸 글자로, **남쪽**을 뜻해요.

(부수) 十 (획수) 총 9획

(쓰는 순서) 一 十 冂 冇 冇 冇 冇 南 南

# 北
## 북녘 북

두 사람이 반대 방향으로 앉아 있는 모습을 나타낸 글자로, 남쪽의 반대 방향인 **북쪽**을 뜻해요.

(부수) 匕 (획수) 총 5획

(쓰는 순서) 丨 丬 丬 北 北

* 北은 '달아날 배'로도 쓰여요.

## 어휘力 사전

南 韓 — 韓: 한국 한

- **남한**: 남북으로 나누어진 후 한국의 남쪽 지역.

南 大 門 — 大: 큰 대, 門: 문 문

- **남대문**: 우리나라 국보 제 1호인 숭례문의 다른 이름.

北 上 — 上: 윗 상

- **북상**: 북쪽을 향하여 올라감.

東 西 南 北 — 東: 동녘 동, 西: 서녘 서, 南: 남녘 남

- **동서남북**: 동쪽 · 서쪽 · 남쪽 · 북쪽의 사방(四方).

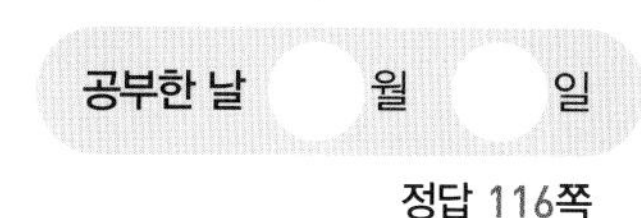


정답 116쪽

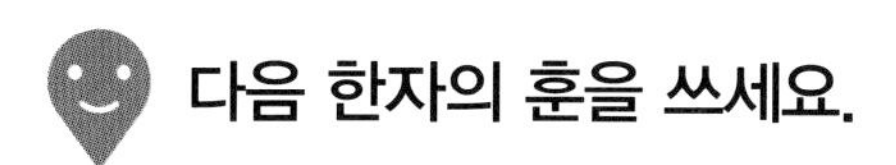

## 다음 한자의 훈을 쓰세요.

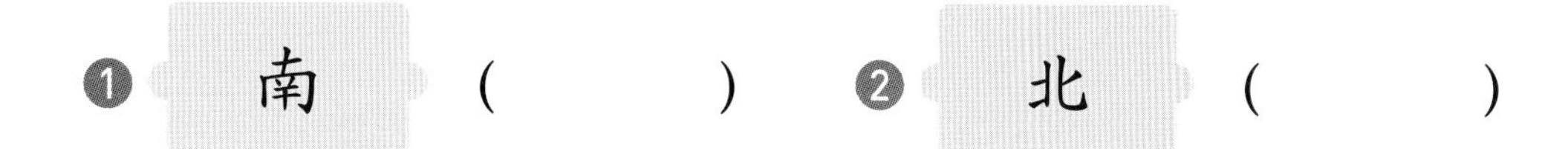

❶ 南 (　　　　)　❷ 北 (　　　　)

## 다음 파란색 한자의 음을 찾아 ○표 하세요.

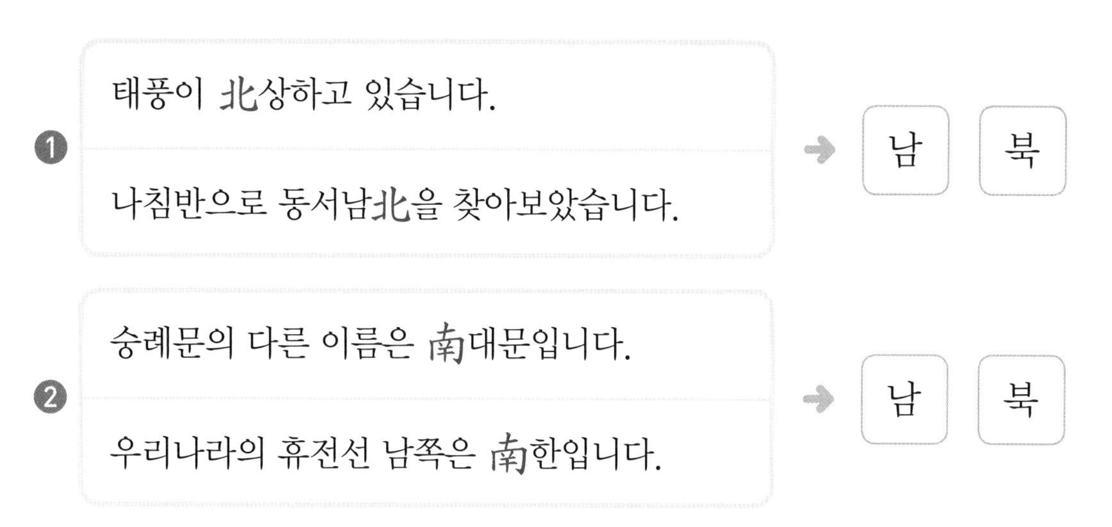

❶
태풍이 北상하고 있습니다.
나침반으로 동서남北을 찾아보았습니다.
→ 남 북

❷
숭례문의 다른 이름은 南대문입니다.
우리나라의 휴전선 남쪽은 南한입니다.
→ 남 북

교과서 어휘力

## 빈칸에 알맞은 한자를 써서 우리나라에 대한 설명을 완성하세요.

❶ □ 한 은 통행 증명서가 있어야 여행을 갈 수 있어요.

❷ □ 한 은 원하는 곳을 자유롭게 여행할 수 있어요.

5주 3일

## 큰 대

팔과 다리를 크게 벌리고 서 있는 사람의 모습을 나타낸 글자로, **크다**를 뜻해요.

## 작을 소

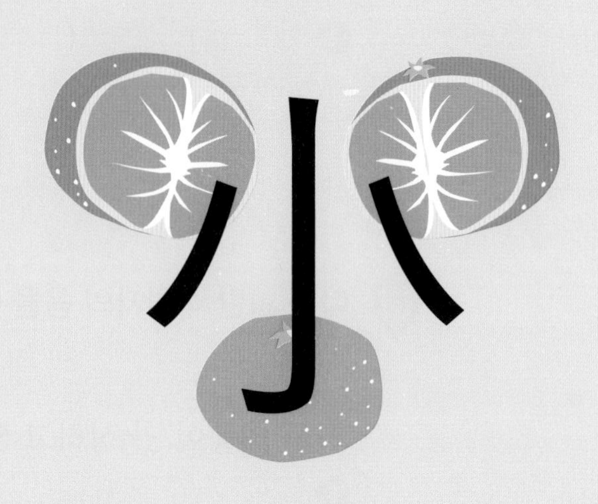

어떤 물건을 작게 나눈 모습을 나타낸 글자로, **작다**를 뜻해요.

(부수) 大 (획수) 총 3획

(쓰는 순서) 一 ナ 大

(부수) 小 (획수) 총 3획

(쓰는 순서) 亅 小 小

### 어휘力 사전

大 王 王: 임금 왕

- **대왕**: 훌륭하고 뛰어난 일을 한 임금.

大 學 學: 배울 학

- **대학**: 고등 교육을 베푸는 교육 기관.

大 小 大: 큰 대

- **대소**: 크고 작음.

大 同 小 異 大: 큰 대 同: 한가지 동 異: 다를 이

- **대동소이**: 큰 차이 없이 거의 같음.

정답 116쪽

## 다음 밑줄 친 말과 관련 있는 한자에 ○표 하세요.

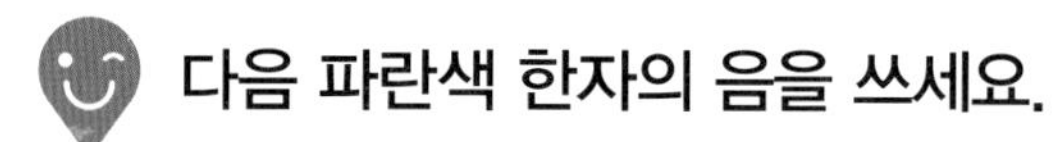

## 다음 파란색 한자의 음을 쓰세요.

❶ 세종 大왕은 한글을 만들었습니다. → ☐

❷ 삼촌은 大학교에 다니는 학생입니다. → ☐

❸ 반장은 大小를 가리지 않고 학급 일에 참여합니다. → ☐ ☐

교과서 어휘力

## 다음 내용을 보고 빈칸에 알맞은 한자를 쓰세요.

크게 보면 같고, 작은 차이만 있다는 뜻의 말이에요.

☐ 동 ☐ 이

가운데 **중**

군대의 땅 한가운데에 꽂힌 깃발이 펄럭이는 모습을 나타낸 글자로, **가운데**를 뜻해요.

外

바깥 **외**

저녁에 점치는 모습을 나타낸 글자로, 저녁에 점을 잘 치지 않는다는 데서 **바깥**을 뜻해요.

(부수) 丨 (획수) 총 4획

(쓰는 순서) 丨 口 口 中

(부수) 夕 (획수) 총 5획

(쓰는 순서) 丿 ク 夕 夕 外

어휘力 사전

中 國 — 國: 나라 국

- **중국**: 아시아 동부에 있는 매우 넓은 나라.

中 心 — 心: 마음 심

- **중심**: 어떤 사물의 한가운데.

外 國 語 — 國: 나라 국, 語: 말씀 어

- **외국어**: 다른 나라의 말.

内 外 — 内: 안 내

- **내외**: 안과 밖.

정답 116쪽

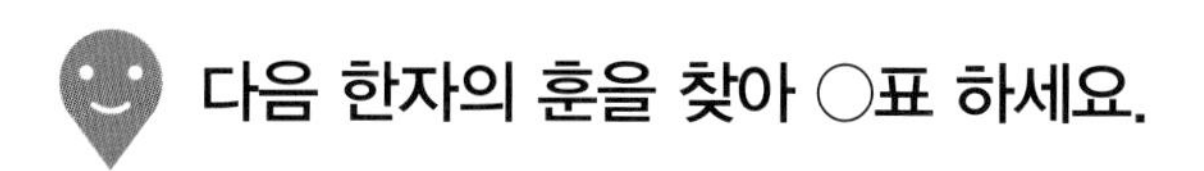

다음 한자의 훈을 찾아 ◯표 하세요.

❶ 中 바깥 가운데

❷ 外 바깥 가운데

다음 파란색 한자의 음을 쓰세요.

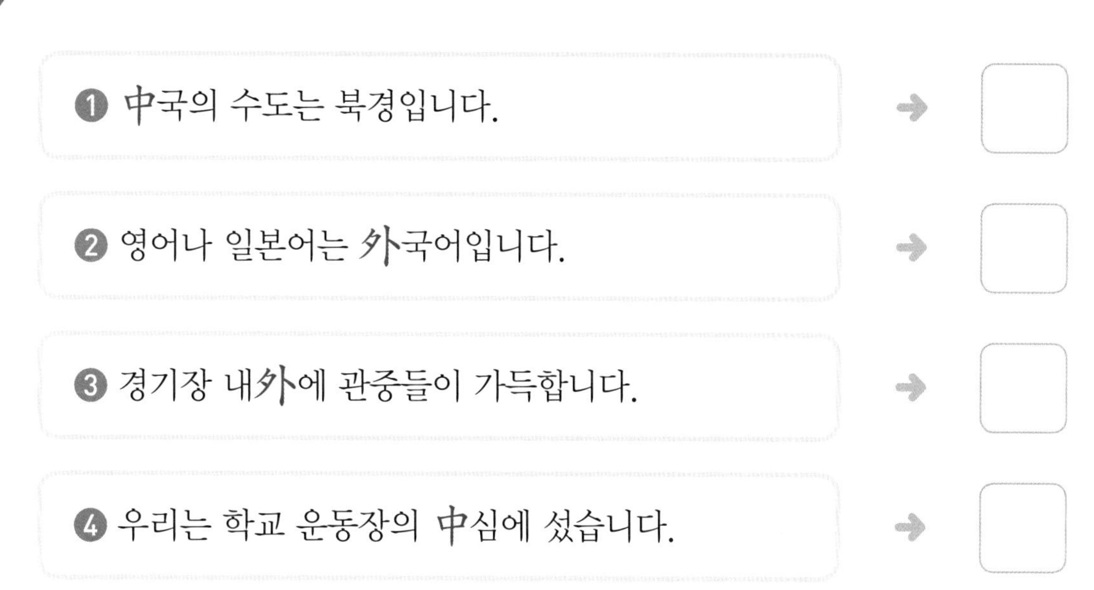

❶ 中국의 수도는 북경입니다. → ☐

❷ 영어나 일본어는 外국어입니다. → ☐

❸ 경기장 내外에 관중들이 가득합니다. → ☐

❹ 우리는 학교 운동장의 中심에 섰습니다. → ☐

교과서 어휘力

다음 일기 예보를 보고 비가 오는 지역은 어디인지 빈칸에 알맞은 한자를 쓰세요.

☐부 지방

일만 만

꼬리를 든 전갈의 모습을 나타낸 글자로, 전갈이 알을 많이 낳는다는 데서 **많다**를 뜻해요.

해 년

한 해 농사를 마무리하여 얻은 벼를 지고 가는 사람의 모습을 나타낸 글자로, **해**를 뜻해요.

(부수) 艹 (획수) 총 13획

(쓰는 순서)

(부수) 干 (획수) 총 6획

(쓰는 순서) 丿 𠂉 𠂤 乍 年 年

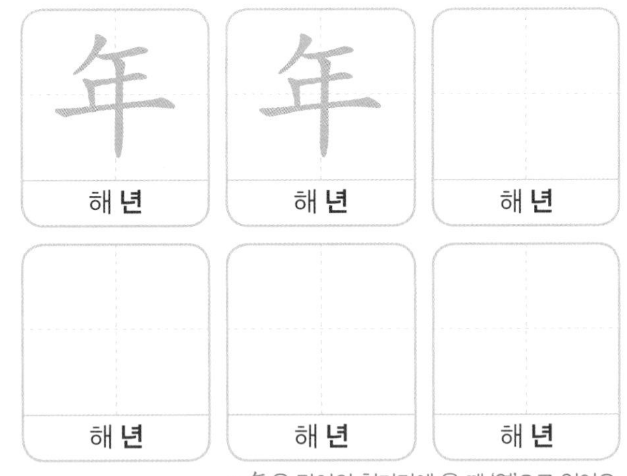

* 年은 단어의 첫머리에 올 때 '연'으로 읽어요.

어휘力 사전

萬 能 能: 능할 능

- **만능**: 무슨 일이든지 다 할 수 있는 것.

萬 國 旗 國: 나라 국 旗: 기 기

- **만국기**: 세계 여러 나라의 국기.

學 年 學: 배울 학

- **학년**: 학교에서 일 년 동안의 학습 과정.

生 年 月 日 生: 날 생 月: 달 월 日: 날 일

- **생년월일**: 태어난 해와 달과 날.

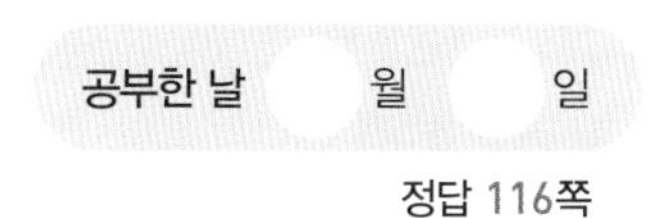


정답 116쪽

다음 한자의 훈을 찾아 선으로 이으세요.

다음 파란색 한자의 음을 쓰세요.

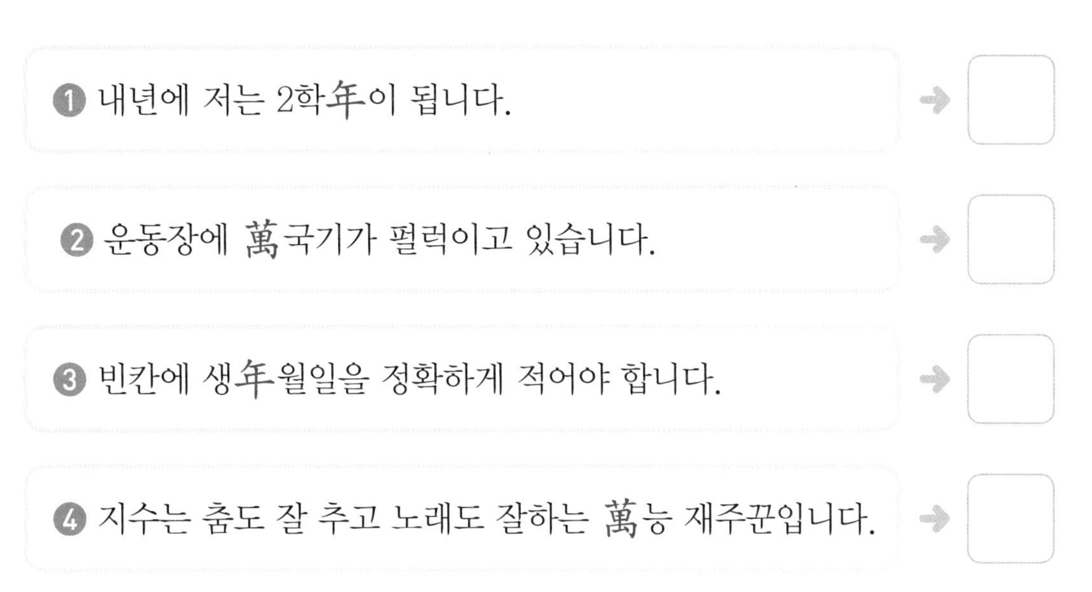


교과서 어휘力

빈칸에 알맞은 한자를 써서 일기를 완성하세요.

정답 116쪽

다음 한자의 훈과 음을 선으로 이으세요.

| | | | |
|---|---|---|---|
| 1 | 西 | • • | 남녘 남 |
| 2 | 南 | • • | 서녘 서 |
| 3 | 外 | • • | 바깥 외 |
| 4 | 萬 | • • | 해 년 |
| 5 | 年 | • • | 일만 만 |

파란색으로 쓴 한자의 훈과 음을 쓰세요.

1 東해는 바닷물이 맑습니다. 훈 ______ 음 ______

2 금강산은 北한에 있습니다. 훈 ______ 음 ______

3 벽 中앙에 액자를 걸었습니다. 훈 ______ 음 ______

4 연극을 하기 위해 小품을 만듭니다. 훈 ______ 음 ______

5 우리나라에는 여러 大학이 있습니다. 훈 ______ 음 ______

**[1~3]** 다음 (     ) 안에 있는 한자의 음을 쓰세요.

1. (東)쪽
2. (中)국
3. (大)왕

**[4~7]** 다음 훈이나 음에 알맞은 한자를 보기 에서 찾아 그 번호를 쓰세요.

보기

① 年 ② 北 ③ 萬 ④ 西

4. 해
5. 서
6. 만
7. 북녘

**[8~11]** 다음 밑줄 친 말에 해당하는 한자를 보기 에서 찾아 그 번호를 쓰세요.

보기

① 東 ② 中 ③ 南 ④ 小

8. 작은 음악회가 열렸습니다.
9. 동쪽 하늘이 붉게 물들었습니다.
10. 우리집 창문은 남쪽으로 나 있습니다.
11. 학교와 우체국 가운데 경찰서가 있습니다.

**[12~14]** 다음 한자의 훈과 음을 쓰세요.

12. 外
13. 西
14. 年

**[15~18]** 다음 한자의 훈을 보기 에서 찾아 그 번호를 쓰세요.

보기

① 동녘 ② 작다
③ 남녘 ④ 크다

15. 大
16. 小
17. 東
18. 南

**[19~20]** 다음 한자의 진하게 표시한 획은 몇 번째 쓰는지 보기 에서 찾아 그 번호를 쓰세요.

보기

① 첫 번째 ② 두 번째
③ 세 번째 ④ 네 번째
⑤ 다섯 번째 ⑥ 여섯 번째

19. 西
20. 外

# 동서남북과 사대문

東(동), 西(서), 南(남), 北(북)은 어떤 방향을 정하기 위해 기준으로 삼는 위치예요. 그것을 방위라고 하는데 방위는 해가 뜨고 지는 것을 통해 알 수 있고, 나침반을 활용해서도 알 수 있어요.

이 방위는 조선 시대에 있던 네 성문인 四大門(사대문)과도 연결된답니다. 경복궁을 중심으로 수도인 한양을 보호하기 위해 동쪽에는 '흥인지문', 서쪽에는 '돈의문', 남쪽에는 '숭례문', 북쪽에는 '숙정문'을 지었는데, 이를 **東大門**(동대문), **西大門**(서대문), **南大門**(남대문), **北大門**(북대문)으로 부르기도 했어요.

방위를 나타내는 한자가 문의 이름과도 연결된다니 재미있지요? 앞으로 방위를 떠올릴 때 조선 시대의 사대문도 함께 기억해 보도록 해요.

memo

# 모의 한자능력검정시험

## 8급

**모의 한자능력검정시험 실시 유의 사항**

- 모의시험은 이 책을 모두 학습한 다음에 풀어 보세요.
- 실제 시험에서와 같이 시간을 지켜 풀어 보세요.
- 답안지를 작성할 때는 실제 시험과 똑같이 검정색 볼펜을 사용하세요.
- 글씨가 채점란으로 들어오면 오답 처리되므로, 글씨를 정답 칸 안에 또박또박 쓰세요.
- 모의시험을 마치면 정답을 보고 채점하여 실력을 확인해 보세요.

- **출제 기준:** (社) 한국어문회 한자능력검정시험
- **시험 시간:** 50분
- **출제 문항:** 50문항

8급

# 모의 한자능력검정시험 8급 문제지 1회

50문항 | 50분 시험 | 시험 일자: 20●●. ●●. ●●

*성명과 수험 번호를 쓰고 문제지와 답안지는 함께 제출하세요.

성명 ______ 수험 번호 ●●●-●●-●●●●●

**[1~10] 다음 글의 (　) 안에 있는 漢字(한자)의 讀音(독음: 읽는 소리)을 쓰세요.**

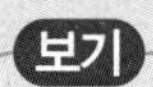

(音) → 음

1. 어린이날인 (五)월

2. 오(日)에

3. (父)

4. (母)님,

5. (兄)과 함께

6. (國)립 박물관에 가서

7. (敎)과서에서 본

8. (金)으로 만든

9. (王)관과

10. 고려 (靑)자를 보았습니다.

**[11~20] 다음 訓(훈: 뜻)이나 音(음: 소리)에 알맞은 漢字(한자)를 보기에서 찾아 그 번호를 쓰세요.**

보기

| ① 月 | ② 火 | ③ 一 | ④ 三 | ⑤ 外 |
| --- | --- | --- | --- | --- |
| ⑥ 民 | ⑦ 學 | ⑧ 先 | ⑨ 六 | ⑩ 南 |

11. 달

12. 하나

13. 바깥

14. 배울

15. 육

16. 남

17. 먼저

18. 백성

19. 삼

20. 불

**[21~30] 다음 밑줄 친 말에 해당하는 漢字(한자)를 보기 에서 찾아 그 번호를 쓰세요.**

보기

① 女　② 白　③ 小　④ 四　⑤ 中
⑥ 東　⑦ 門　⑧ 長　⑨ 大　⑩ 水

**21.** 흰 새가 날아갑니다.

**22.** 큰 소리로 외쳤습니다.

**23.** 해는 동쪽에서 뜹니다.

**24.** 아이들이 물놀이를 합니다.

**25.** 두 친구의 가운데에 섰습니다.

**26.** 길고 짧은 것은 대 봐야 압니다.

**27.** 귀여운 여자아이를 보았습니다.

**28.** 저 문을 열고 나가면 길이 나옵니다.

**29.** 친구 사이에는 작은 일도 서로 도와야 합니다.

**30.** 달리기 시합에서 네 번째로 결승점에 들어왔습니다.

**[31~40] 다음 漢字(한자)의 訓(훈: 뜻)과 音(음: 소리)을 쓰세요.**

音 → 소리 음

**31.** 五

**32.** 山

**33.** 十

**34.** 室

**35.** 土

**36.** 年

**37.** 八

**38.** 生

**39.** 七

**40.** 寸

**[41~44]** 다음 漢字(한자)의 訓(훈: 뜻)을 보기 에서 찾아 그 번호를 쓰세요.

보기
① 군사 ② 나무
③ 사람 ④ 서녘

41. 木

42. 西

43. 人

44. 軍

**[45~48]** 다음 漢字(한자)의 音(음: 소리)을 보기 에서 찾아 그 번호를 쓰세요.

보기
① 만 ② 구
③ 한 ④ 이

45. 二

46. 韓

47. 九

48. 萬

**[49~50]** 다음 漢字(한자)의 진하게 표시한 획은 몇 번째 쓰는지 보기 에서 찾아 그 번호를 쓰세요.

보기
① 첫 번째 ② 두 번째
③ 세 번째 ④ 네 번째
⑤ 다섯 번째 ⑥ 여섯 번째
⑦ 일곱 번째 ⑧ 여덟 번째
⑨ 아홉 번째 ⑩ 열 번째

49. 弟

50. 校

8급

# 모의 한자능력검정시험 8급 문제지 2회

50문항 | 50분 시험 | 시험 일자: 20●●. ●●. ●●

*성명과 수험 번호를 쓰고 문제지와 답안지는 함께 제출하세요.

성명 ____ 수험 번호 ●●●-●●-●●●●●

**[1~10] 다음 글의 ( ) 안에 있는 漢字(한자)의 讀音(독음: 읽는 소리)을 쓰세요.**

(音) → 음

1. (三)학

2. (年)이 되어

3. (學)

4. (校)에 가서

5. (敎)

6. (室)

7. (門)을 열고 들어갔더니

8. (先)

9. (生)님께서 반갑게

10. (人)사를 해 주셨습니다.

**[11~20] 다음 訓(훈: 뜻)이나 音(음: 소리)에 알맞은 漢字(한자)를 보기에서 찾아 그 번호를 쓰세요.**

보기

① 日 ② 水 ③ 二 ④ 五 ⑤ 寸
⑥ 弟 ⑦ 軍 ⑧ 山 ⑨ 西 ⑩ 九

11. 날

12. 이

13. 다섯

14. 군사

15. 아홉

16. 물

17. 마디

18. 아우

19. 산

20. 서

**[21~30] 다음 밑줄 친 말에 해당하는 漢字(한자)를 보기 에서 찾아 그 번호를 쓰세요.**

보기

① 八 ② 木 ③ 土 ④ 韓 ⑤ 母
⑥ 民 ⑦ 七 ⑧ 北 ⑨ 女 ⑩ 王

**21.** 내 동생은 여덟 살입니다.

**22.** 왕이 신하들을 불렀습니다.

**23.** 구슬을 일곱 개 모았습니다.

**24.** 땅을 파고 항아리를 묻었습니다.

**25.** 나무에 푸릇푸릇한 잎이 돋았습니다.

**26.** 저는 한국에서 태어났습니다.

**27.** 어머니께서 다정하게 말씀하셨습니다.

**28.** 조선의 백성들은 힘을 모아 왜적과 싸웠습니다.

**29.** 할아버지께서는 북녘 땅에 헤어진 가족이 있다고 하셨습니다.

**30.** 우리나라의 독립을 위해 노력한 여성 독립 운동가들이 많습니다.

**[31~40] 다음 漢字(한자)의 訓(훈: 뜻)과 音(음: 소리)을 쓰세요.**

보기

音 → 소리 음

**31.** 大

**32.** 白

**33.** 月

**34.** 萬

**35.** 長

**36.** 四

**37.** 金

**38.** 中

**39.** 東

**40.** 國

**[41~44]** 다음 漢字(한자)의 訓(훈: 뜻)을 **보기** 에서 찾아 그 번호를 쓰세요.

**보기**

① 하나　② 형
③ 푸르다　④ 여섯

41. 兄

42. 一

43. 靑

44. 六

**[45~48]** 다음 漢字(한자)의 音(음: 소리)을 **보기** 에서 찾아 그 번호를 쓰세요.

**보기**

① 십　② 소
③ 화　④ 외

45. 小

46. 十

47. 外

48. 火

**[49~50]** 다음 漢字(한자)의 진하게 표시한 획은 몇 번째 쓰는지 **보기** 에서 찾아 그 번호를 쓰세요.

**보기**

① 첫 번째　② 두 번째
③ 세 번째　④ 네 번째
⑤ 다섯 번째　⑥ 여섯 번째
⑦ 일곱 번째　⑧ 여덟 번째

49.

50.

# 모의 한자능력검정시험 8급 문제지 3회

50문항 | 50분 시험 | 시험 일자: 20 ○○. ○○. ○○

＊성명과 수험 번호를 쓰고 문제지와 답안지는 함께 제출하세요.

성명 ______ 수험 번호 ○○○-○○-○○○○

**[1~10]** 다음 글의 (　) 안에 있는 漢字(한자)의 讀音(독음: 읽는 소리)을 쓰세요.

(音) → 음

1. (大)

2. (學)

3. (校)에 다니는

4. (外)

5. (三)

6. (寸)과 함께

7. 내 (生)

8. (日)인

9. (火)요일에

10. (水)영장에 갔습니다.

**[11~20]** 다음 訓(훈: 뜻)이나 音(음: 소리)에 알맞은 漢字(한자)를 보기에서 찾아 그 번호를 쓰세요.

보기

① 木 ② 土 ③ 五 ④ 七 ⑤ 女
⑥ 室 ⑦ 教 ⑧ 韓 ⑨ 人 ⑩ 中

11. 나무

12. 중

13. 녀

14. 한국/나라

15. 사람

16. 토

17. 칠

18. 집

19. 교

20. 다섯

[21~30] 다음 밑줄 친 말에 해당하는 漢字(한자)를 보기 에서 찾아 그 번호를 쓰세요.

보기

① 金 ② 二 ③ 十 ④ 弟 ⑤ 軍
⑥ 四 ⑦ 山 ⑧ 月 ⑨ 一 ⑩ 父

21. 내 동생은 나를 잘 따릅니다.

22. 밤하늘에 둥근 달이 떴습니다.

23. 학생 한 명이 손을 들었습니다.

24. 한라산은 남한에서 가장 높은 산입니다.

25. 옛날 한양에는 네 개의 성문이 있었습니다.

26. 열 명의 사람들이 모여 악기를 연주했습니다.

27. 우리 집 강아지가 새끼를 두 마리 낳았습니다.

28. 아버지께서 맛있는 떡볶이를 만들어 주셨습니다.

29. 이순신 장군은 군사들을 이끌고 바다로 나갔습니다.

30. 깊은 산속을 헤매던 형제는 금이 가득한 구덩이를 발견했습니다.

[31~40] 다음 漢字(한자)의 訓(훈: 뜻)과 音(음: 소리)을 쓰세요.

보기

音 → 소리 음

31. 母

32. 日

33. 九

34. 兄

35. 國

36. 西

37. 小

38. 王

39. 南

40. 門

**[41~44]** 다음 漢字(한자)의 訓(훈: 뜻)을 보기 에서 찾아 그 번호를 쓰세요.

보기
① 일만 ② 백성
③ 동녘 ④ 해

41. 民

42. 東

43. 年

44. 萬

**[45~48]** 다음 漢字(한자)의 音(음: 소리)을 보기 에서 찾아 그 번호를 쓰세요.

보기
① 륙 ② 팔
③ 북 ④ 장

45. 北

46. 六

47. 八

48. 長

**[49~50]** 다음 漢字(한자)의 진하게 표시한 획은 몇 번째 쓰는지 보기 에서 찾아 그 번호를 쓰세요.

보기
① 첫 번째 ② 두 번째
③ 세 번째 ④ 네 번째
⑤ 다섯 번째 ⑥ 여섯 번째
⑦ 일곱 번째 ⑧ 여덟 번째

49. 青

50. 先

수험 번호 ○○○ - ○○ - ○○○○○　　　　　성명

생년월일 ○○○○○○　　　　※ 유성 싸인펜, 붉은색 필기구 사용 불가

※ 답안지는 컴퓨터로 처리되므로 구기거나 더럽히지 마시고, 정답 칸 안에만 쓰십시오.
※ 글씨가 채점란으로 들어오면 오답 처리가 됩니다.

## 모의 한자능력검정시험 8급 답안지(1) 1회

| 답안란 | | 채점란 | |
|---|---|---|---|
| 번호 | 정답 | 1검 | 2검 |
| 1 | | | |
| 2 | | | |
| 3 | | | |
| 4 | | | |
| 5 | | | |
| 6 | | | |
| 7 | | | |
| 8 | | | |
| 9 | | | |
| 10 | | | |
| 11 | | | |
| 12 | | | |
| 13 | | | |

| 답안란 | | 채점란 | |
|---|---|---|---|
| 번호 | 정답 | 1검 | 2검 |
| 14 | | | |
| 15 | | | |
| 16 | | | |
| 17 | | | |
| 18 | | | |
| 19 | | | |
| 20 | | | |
| 21 | | | |
| 22 | | | |
| 23 | | | |
| 24 | | | |
| | | | |
| | | | |

*본 답안지는 구겨지거나 더럽혀지지 않도록 조심하시고 글씨를 칸 안에 또박또박 쓰십시오.

## 모의 한자능력검정시험 8급 답안지(2) 1회

| 답안란 | | 채점란 | |
|---|---|---|---|
| 번호 | 정답 | 1검 | 2검 |
| 25 | | | |
| 26 | | | |
| 27 | | | |
| 28 | | | |
| 29 | | | |
| 30 | | | |
| 31 | | | |
| 32 | | | |
| 33 | | | |
| 34 | | | |
| 35 | | | |
| 36 | | | |
| 37 | | | |

| 답안란 | | 채점란 | |
|---|---|---|---|
| 번호 | 정답 | 1검 | 2검 |
| 38 | | | |
| 39 | | | |
| 40 | | | |
| 41 | | | |
| 42 | | | |
| 43 | | | |
| 44 | | | |
| 45 | | | |
| 46 | | | |
| 47 | | | |
| 48 | | | |
| 49 | | | |
| 50 | | | |

수험 번호 ○○○ - ○○ - ○○○○　　　성명

생년월일 ○○○○○○　　　※ 유성 싸인펜, 붉은색 필기구 사용 불가

※ 답안지는 컴퓨터로 처리되므로 구기거나 더럽히지 마시고, 정답 칸 안에만 쓰십시오.
※ 글씨가 채점란으로 들어오면 오답 처리가 됩니다.

# 모의 한자능력검정시험 8급 답안지(1) 2회

| 답안란 | | 채점란 | | 답안란 | | 채점란 | |
|---|---|---|---|---|---|---|---|
| 번호 | 정답 | 1검 | 2검 | 번호 | 정답 | 1검 | 2검 |
| 1 | | | | 14 | | | |
| 2 | | | | 15 | | | |
| 3 | | | | 16 | | | |
| 4 | | | | 17 | | | |
| 5 | | | | 18 | | | |
| 6 | | | | 19 | | | |
| 7 | | | | 20 | | | |
| 8 | | | | 21 | | | |
| 9 | | | | 22 | | | |
| 10 | | | | 23 | | | |
| 11 | | | | 24 | | | |
| 12 | | | | | | | |
| 13 | | | | | | | |

*본 답안지는 구겨지거나 더럽혀지지 않도록 조심하시고 글씨를 칸 안에 또박또박 쓰십시오.

## 모의 한자능력검정시험 8급 답안지(2) 2회

| 답안란 | | 채점란 | |
|---|---|---|---|
| 번호 | 정답 | 1검 | 2검 |
| 25 | | | |
| 26 | | | |
| 27 | | | |
| 28 | | | |
| 29 | | | |
| 30 | | | |
| 31 | | | |
| 32 | | | |
| 33 | | | |
| 34 | | | |
| 35 | | | |
| 36 | | | |
| 37 | | | |

| 답안란 | | 채점란 | |
|---|---|---|---|
| 번호 | 정답 | 1검 | 2검 |
| 38 | | | |
| 39 | | | |
| 40 | | | |
| 41 | | | |
| 42 | | | |
| 43 | | | |
| 44 | | | |
| 45 | | | |
| 46 | | | |
| 47 | | | |
| 48 | | | |
| 49 | | | |
| 50 | | | |

수험 번호 ○○○ - ○○ - ○○○○  성명

생년월일 ○○○○○○  ※ 유성 싸인펜, 붉은색 필기구 사용 불가

※ 답안지는 컴퓨터로 처리되므로 구기거나 더럽히지 마시고, 정답 칸 안에만 쓰십시오.
※ 글씨가 채점란으로 들어오면 오답 처리가 됩니다.

# 모의 한자능력검정시험 8급 답안지(1) 3회

| 답안란 | | 채점란 | | 답안란 | | 채점란 | |
|---|---|---|---|---|---|---|---|
| 번호 | 정답 | 1검 | 2검 | 번호 | 정답 | 1검 | 2검 |
| 1 | | | | 14 | | | |
| 2 | | | | 15 | | | |
| 3 | | | | 16 | | | |
| 4 | | | | 17 | | | |
| 5 | | | | 18 | | | |
| 6 | | | | 19 | | | |
| 7 | | | | 20 | | | |
| 8 | | | | 21 | | | |
| 9 | | | | 22 | | | |
| 10 | | | | 23 | | | |
| 11 | | | | 24 | | | |
| 12 | | | | | | | |
| 13 | | | | | | | |

＊본 답안지는 구겨지거나 더럽혀지지 않도록 조심하시고 글씨를 칸 안에 또박또박 쓰십시오.

## 모의 한자능력검정시험 8급 답안지(2) 3회

| 답안란 | | 채점란 | |
|---|---|---|---|
| 번호 | 정답 | 1검 | 2검 |
| 25 | | | |
| 26 | | | |
| 27 | | | |
| 28 | | | |
| 29 | | | |
| 30 | | | |
| 31 | | | |
| 32 | | | |
| 33 | | | |
| 34 | | | |
| 35 | | | |
| 36 | | | |
| 37 | | | |

| 답안란 | | 채점란 | |
|---|---|---|---|
| 번호 | 정답 | 1검 | 2검 |
| 38 | | | |
| 39 | | | |
| 40 | | | |
| 41 | | | |
| 42 | | | |
| 43 | | | |
| 44 | | | |
| 45 | | | |
| 46 | | | |
| 47 | | | |
| 48 | | | |
| 49 | | | |
| 50 | | | |

초능력 급수 한자 8급

# 정답

## 정답 8급

# 1주

### 1일 17쪽

① 月 ② 日

① 일 ② 일 ③ 월 ④ 월

어휘力 ① 月, 日 ② 月, 日

### 2일 19쪽

① 火 ② 水

① 火 ② 水 ③ 水 ④ 火

어휘力 ① 火 ② 火

### 3일 21쪽

① 木 ② 金

① 목 ② 금 ③ 금 ④ 목

어휘力 木

### 4일 23쪽

① 흙 토 ② 메 산

① 山 ② 土 ③ 土 ④ 山

어휘力 ① 山 ② 山

### 5일 25쪽

① 白 ② 青

① 백 ② 청 ③ 청 ④ 백

어휘力 青

### 연습 문제 26쪽

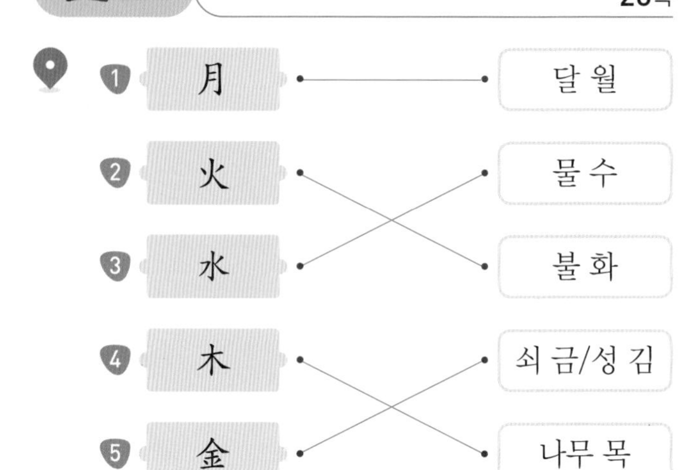


① 푸를 청

② 메 산

③ 흙 토

④ 날 일

⑤ 흰 백

### 기출 문제 27쪽

| | |
|---|---|
| 1. 일 | 2. 월 |
| 3. 산 | 4. ③ |
| 5. ① | 6. ② |
| 7. ① | 8. ② |
| 9. ④ | 10. ③ |
| 11. 흙 토 | 12. 메 산 |
| 13. 불 화 | 14. 물 수 |
| 15. ① | 16. ② |
| 17. ④ | 18. ③ |
| 19. ③ | 20. ① |

# 2주

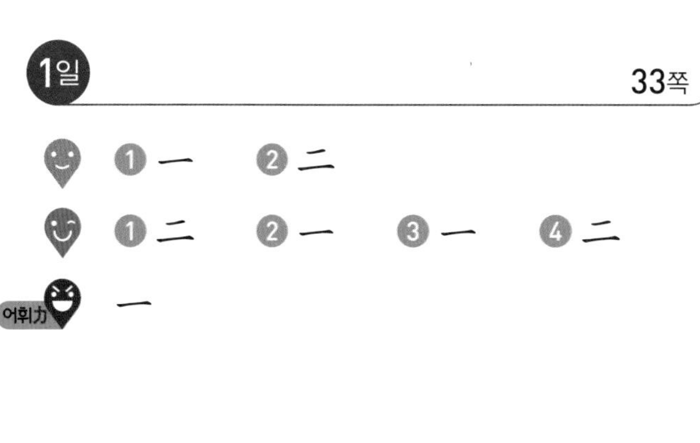

## 1일 33쪽

❶ 一 ❷ 二

❶ 二 ❷ 一 ❸ 一 ❹ 二

어휘力 一

## 2일 35쪽

❶ 석 삼 ❷ 넉 사

❶ 삼 ❷ 사 ❸ 사 ❹ 삼삼

어휘力 ❶ 三 ❷ 四

## 3일 37쪽

❶ 五 ❷ 六

❶ 五 ❷ 六 ❸ 六, 五 ❹ 五

어휘力 五

## 4일 39쪽

❶ 일곱 칠 ❷ 여덟 팔

❶ 七 ❷ 八 ❸ 八

어휘力 七, 八

## 5일 41쪽

❶ 九 ❷ 十

❶ 십 ❷ 십 ❸ 구 ❹ 구구

어휘力 十

## 연습 문제 42쪽

❶ 十 — 열 십
❷ 三 — 석 삼
❸ 六 — 여섯 륙
❹ 五 — 다섯 오
❺ 九 — 아홉 구

❶ 넉 사
❷ 두 이
❸ 여덟 팔
❹ 일곱 칠
❺ 한 일

## 기출 문제 43쪽

| | |
|---|---|
| 1. 삼 | 2. 사 |
| 3. 오 | 4. 칠 |
| 5. ② | 6. ① |
| 7. ③ | 8. ① |
| 9. ④ | 10. ② |
| 11. ③ | 12. 여덟 |
| 13. 다섯 | 14. 여섯 |
| 15. 일곱 | 16. ③ |
| 17. ① | 18. ② |
| 19. ④ | 20. ③ |

# 3주

## 1일 49쪽

① 아비 부 ② 어미 모

① 모 ② 부 ③ 모 ④ 부모

어휘力 母

## 2일 51쪽

① 형 ② 아우

① 제 ② 형 ③ 형제

어휘力 兄, 弟

## 3일 53쪽

① 녀 ② 인

① 人 ② 女 ③ 人 ④ 女

어휘力 人

## 4일 55쪽

① 室 ② 門

① 문 ② 실 ③ 문 ④ 실

어휘力 ① 門 ② 室

## 5일 57쪽

① 마디 촌 ② 긴 장

① 촌 ② 장 ③ 촌 ④ 장

어휘力 長

## 연습 문제 58쪽

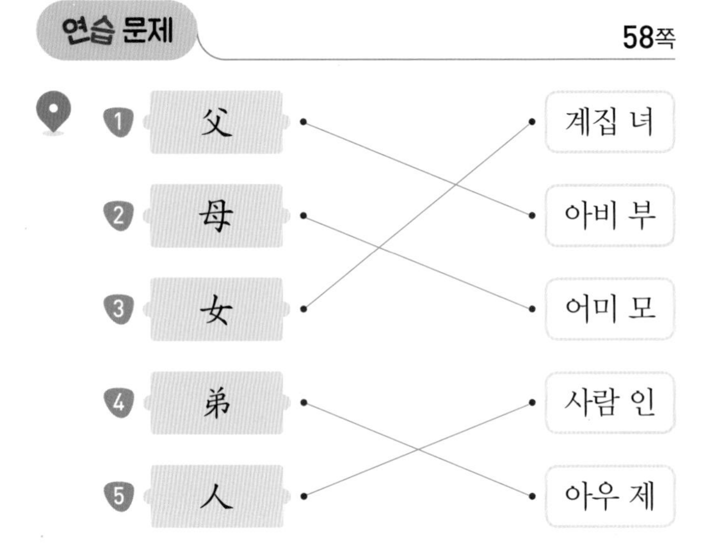


① 형 형

② 문 문

③ 마디 촌

④ 집 실

⑤ 긴 장

## 기출 문제 59쪽

1. 형
2. 실
3. 촌
4. ②
5. ③
6. ①
7. ③
8. ②
9. ④
10. ①
11. ①
12. ③
13. ④
14. ②
15. 아우 제
16. 아비 부
17. 긴 장
18. 사람 인
19. ③
20. ⑦

# 4주

## 1일 65쪽

① 배울 학 ② 학교 교

① 교복 ② 입학 ③ 학교 ④ 교문

어휘力 學校

## 2일 67쪽

① 선 ② 생

① 生 ② 生 ③ 先 ④ 先

어휘力 生

## 3일 69쪽

① 가르치다 ② 나라

① 教 ② 國 ③ 教 ④ 國

어휘力 國

## 4일 71쪽

① 한 ② 군

① 군 ② 군 ③ 한 ④ 한

어휘力 ① 韓 ② 韓 ③ 韓

## 5일 73쪽

① 임금 ② 백성

① 民 ② 王

어휘力 ① 民 ② 王

## 연습 문제 74쪽

① 校 — 학교 교
② 生 — 날 생
③ 國 — 나라 국
④ 軍 — 군사 군
⑤ 王 — 임금 왕

① 한국 한
② 먼저 선
③ 가르칠 교
④ 배울 학
⑤ 백성 민

## 기출 문제 75쪽

| | |
|---|---|
| 1. 학 | 2. 교 |
| 3. 왕 | 4. ③ |
| 5. ① | 6. ② |
| 7. ④ | 8. ① |
| 9. ③ | 10. ② |
| 11. ④ | 12. 학교 교 |
| 13. 군사 군 | 14. 날 생 |
| 15. 임금 왕 | 16. ① |
| 17. ③ | 18. ② |
| 19. ④ | 20. ③ |

# 5주

## 1일 81쪽

① 동녘 ② 서녘

① 서 ② 동 ③ 서 ④ 동

어휘力 ① 東 ② 西

## 2일 83쪽

① 남녘 ② 북녘

① 북 ② 남

어휘力 ① 北 ② 南

## 3일 85쪽

① 大 ② 小

① 대 ② 대 ③ 대소

어휘力 大, 小

## 4일 87쪽

① 가운데 ② 바깥

① 중 ② 외 ③ 외 ④ 중

어휘力 中

## 5일 89쪽

① 해 ② 일만

① 년 ② 만 ③ 년 ④ 만

어휘力 年, 萬

## 연습 문제 90쪽

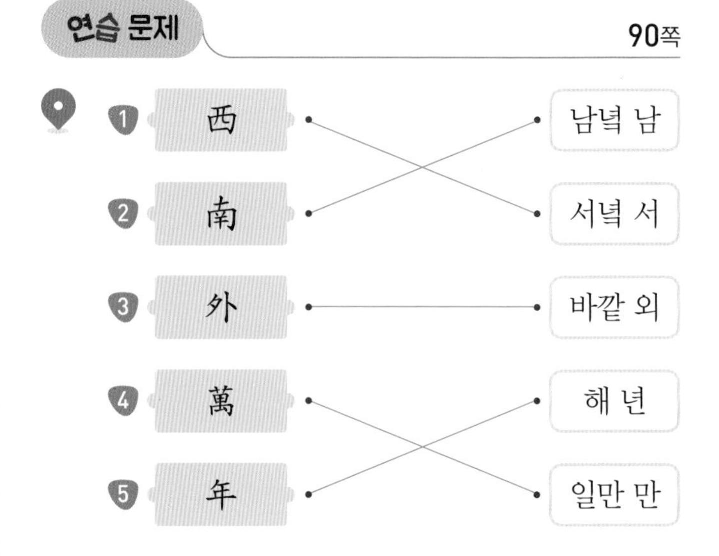


① 동녘 동

② 북녘 북

③ 가운데 중

④ 작을 소

⑤ 큰 대

## 기출 문제 91쪽

1. 동 2. 중

3. 대 4. ①

5. ④ 6. ③

7. ② 8. ④

9. ① 10. ③

11. ② 12. 바깥 외

13. 서녘 서 14. 해 년

15. ④ 16. ②

17. ① 18. ③

19. ⑤ 20. ④

# 모의 한자능력검정시험

## 8급 1회

| | | | |
|---|---|---|---|
| 1. 오 | 2. 일 | 3. 부 | 4. 모 |
| 5. 형 | 6. 국 | 7. 교 | 8. 금 |
| 9. 왕 | 10. 청 | 11. ① | 12. ③ |
| 13. ⑤ | 14. ⑦ | 15. ⑨ | 16. ⑩ |
| 17. ⑧ | 18. ⑥ | 19. ④ | 20. ② |
| 21. ② | 22. ⑨ | 23. ⑥ | 24. ⑩ |
| 25. ⑤ | 26. ⑧ | 27. ① | 28. ⑦ |
| 29. ③ | 30. ④ | 31. 다섯 오 | 32. 메 산 |
| 33. 열 십 | 34. 집 실 | 35. 흙 토 | 36. 해 년 |
| 37. 여덟 팔 | 38. 날 생 | 39. 일곱 칠 | 40. 마디 촌 |
| 41. ② | 42. ④ | 43. ③ | 44. ① |
| 45. ④ | 46. ③ | 47. ② | 48. ① |
| 49. ⑤ | 50. ⑦ | | |

## 8급 2회

| | | | |
|---|---|---|---|
| 1. 삼 | 2. 년 | 3. 학 | 4. 교 |
| 5. 교 | 6. 실 | 7. 문 | 8. 선 |
| 9. 생 | 10. 인 | 11. ① | 12. ③ |
| 13. ④ | 14. ⑦ | 15. ⑩ | 16. ② |
| 17. ⑤ | 18. ⑥ | 19. ⑧ | 20. ⑨ |
| 21. ① | 22. ⑩ | 23. ⑦ | 24. ③ |
| 25. ② | 26. ④ | 27. ⑤ | 28. ⑥ |
| 29. ⑧ | 30. ⑨ | 31. 큰 대 | 32. 흰 백 |
| 33. 달 월 | 34. 일만 만 | 35. 긴 장 | 36. 넉 사 |
| 37. 쇠 금/성 김 | 38. 가운데 중 | 39. 동녘 동 | 40. 나라 국 |
| 41. ② | 42. ① | 43. ③ | 44. ④ |
| 45. ② | 46. ① | 47. ④ | 48. ③ |
| 49. ④ | 50. ⑦ | | |

## 8급 3회

| | | | |
|---|---|---|---|
| 1. 대 | 2. 학 | 3. 교 | 4. 외 |
| 5. 삼 | 6. 촌 | 7. 생 | 8. 일 |
| 9. 화 | 10. 수 | 11. ① | 12. ⑩ |
| 13. ⑤ | 14. ⑧ | 15. ⑨ | 16. ② |
| 17. ④ | 18. ⑥ | 19. ⑦ | 20. ③ |
| 21. ④ | 22. ⑧ | 23. ⑨ | 24. ⑦ |
| 25. ⑥ | 26. ③ | 27. ② | 28. ⑩ |
| 29. ⑤ | 30. ① | 31. 어미 모 | 32. 날 일 |
| 33. 아홉 구 | 34. 형 형 | 35. 나라 국 | 36. 서녘 서 |
| 37. 작을 소 | 38. 임금 왕 | 39. 남녘 남 | 40. 문 문 |
| 41. ② | 42. ③ | 43. ④ | 44. ① |
| 45. ③ | 46. ① | 47. ② | 48. ④ |
| 49. ⑤ | 50. ④ | | |

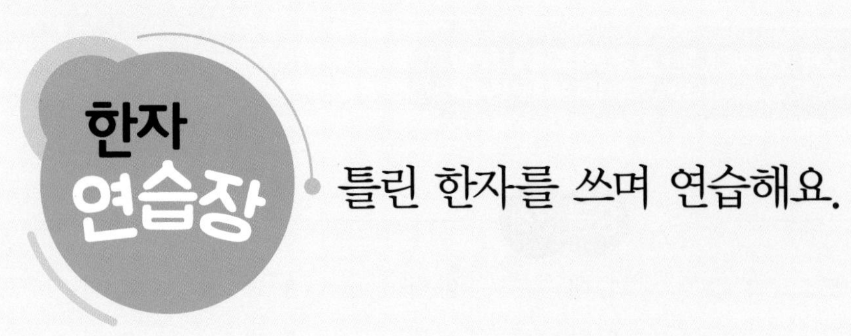


틀린 한자를 쓰며 연습해요.

틀린 한자를 쓰며 연습해요.

틀린 한자를 쓰며 연습해요.

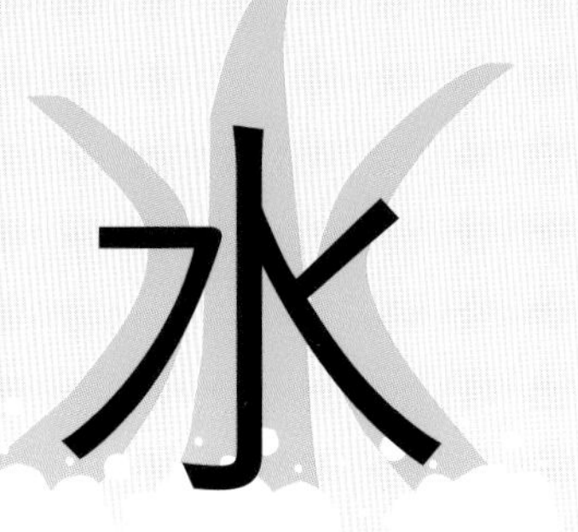


8급
한자 카드

1주

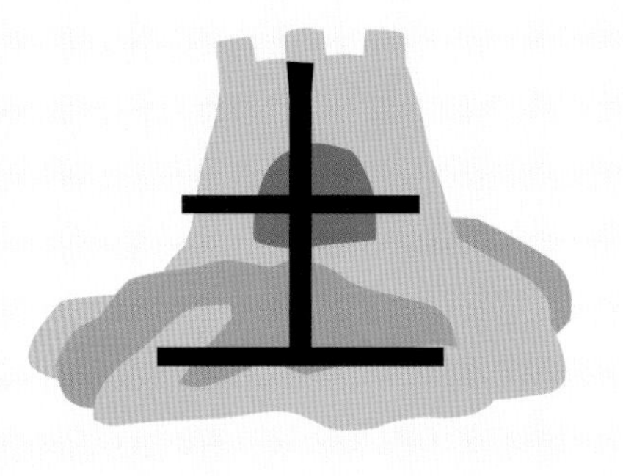

火 불 **화**

**숲에 火재가 났어요.**

→ 불이 나서 생긴 사고.

月 달 **월**

**몇 개月 후면 초등학생이 돼요.**

→ 달을 세는 단위.

日 날 **일**

**생日 축하해!**

→ 세상에 태어난 날.

木 나무 **목**

**木수 아저씨가 가구를 만들어요.**

→ 나무로 물건을 만드는 사람.

# 8급
# 어휘 카드

水 물 **수**

**바다에서 水영을 해요.**

→ 물에서 헤엄치는 일.

土 흙 **토**

**좋은 土지에서 농사를 지어요.**

→ 사람이 생활하는 땅.

金 쇠 **금**/성 **김**

**저금통에 동전을 저金해요.**

→ 돈을 저금통에 모음.

白 흰 **백**

**연못에서 白조가 헤엄쳐요.**

→ 온몸이 흰색인 물새.

青 푸를 **청**

**青색 옷을 입었어요.**

→ 푸른색.

山 메 **산**

**친구와 함께 등山을 해요.**

→ 산에 오르는 일.

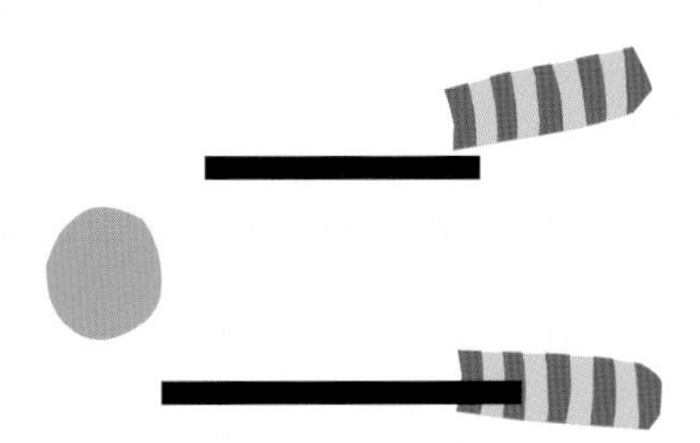


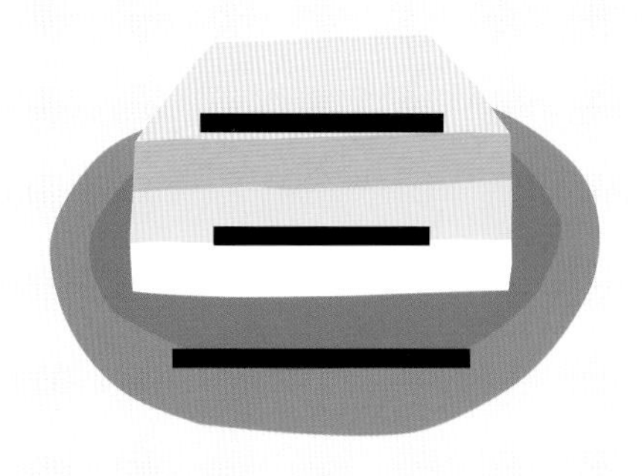


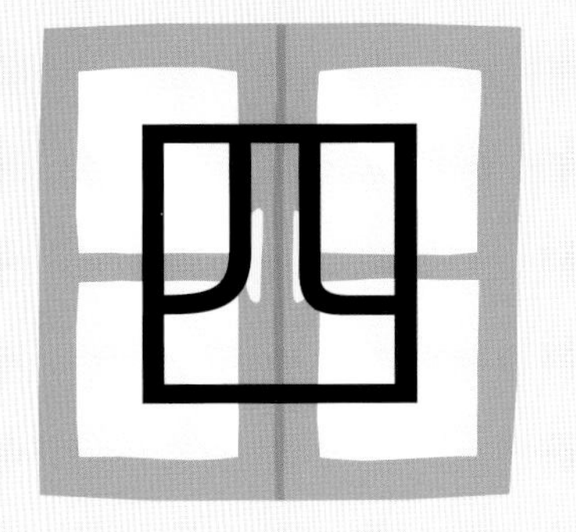


8급
# 한자 카드

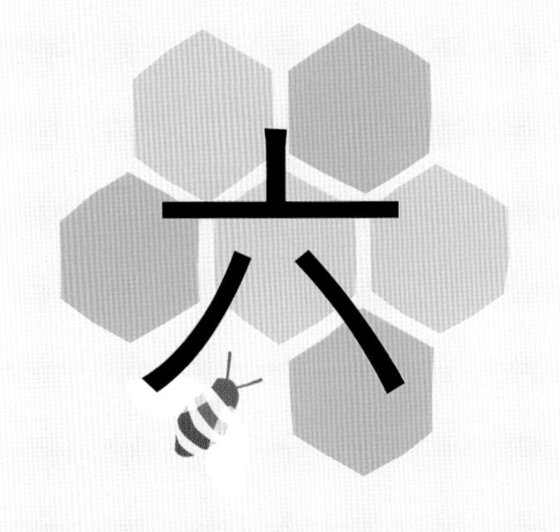

三 석 **삼**

신라가 三국을 통일하였어요.

→ 세 나라.

二 두 **이**

십에 십을 더하면 二십이에요.

→ 십의 두 배가 되는 수.

一 한 **일**

과일 중에 딸기가 제一 좋아요.

→ 여러 가지 중에 가장.

五 다섯 **오**

꽃밭에 五색 꽃이 피었어요.

→ 다섯 가지 색.

8급

# 어휘 카드

四 넉 **사**

종소리가 四방에 울려 퍼져요.

→ 동서남북의 네 방향.

七 일곱 **칠**

할아버지의 七순 잔치가 열렸어요.

→ 70일. 70살.

2주

六 여섯 **륙**

주사위는 六면체로 되어 있어요.

→ 여섯 개의 평면으로 둘러싸인 도형.

十 열 **십**

일 년 동안에 十만 원을 모았어요.

→ 만의 열 배가 되는 수.

九 아홉 **구**

아이들이 九九단을 외워요.

→ 1에서 9까지 각 수를 서로 곱해서 나온 값을 나타낸 것.

八 여덟 **팔**

八도강산에 아름다운 꽃이 피었어요.

→ 우리나라 전체의 자연 경치.

父

母

兄

弟

8급
한자 카드

女

人

3주

室

門

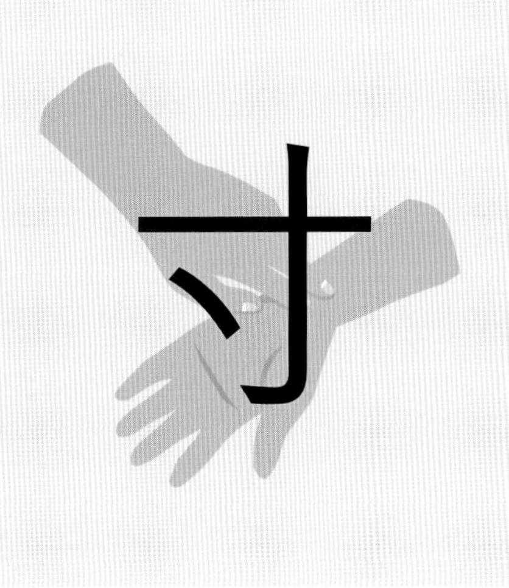
寸

長

兄 형 **형**

兄제가 사이좋게 놀아요.

➜ 형과 아우.

母 어미 **모**

母자가 함께 여행을 가요.

➜ 어머니와 아들.

父 아비 **부**

父모님께 편지를 썼어요.

➜ 아버지와 어머니.

女 계집 **녀**

할머니가 손女를 업어 주어요.

➜ 아들의 딸. 또는 딸의 딸.

# 8급
# 어휘 카드

弟 아우 **제**

弟자가 선생님을 찾아왔어요.

➜ 선생님의 가르침을 받는 사람.

室 집 **실**

室외에서는 안전에 주의해요.

➜ 방이나 건물의 밖.

## 3주

人 사람 **인**

친구를 만나 반갑게 人사해요.

➜ 만나거나 헤어질 때 하는 것.

長 긴 **장**

언니는 우리집 長녀예요.

➜ 딸 중에서 가장 첫째. 큰딸.

寸 마디 **촌**

삼寸은 자동차 회사에 다녀요.

➜ 결혼하지 않은 아버지의 남자 형제.

門 문 **문**

학교 정門에서 친구와 만났어요.

➜ 사람이나 차들이 주로 드나드는 문.

8급
한자 카드

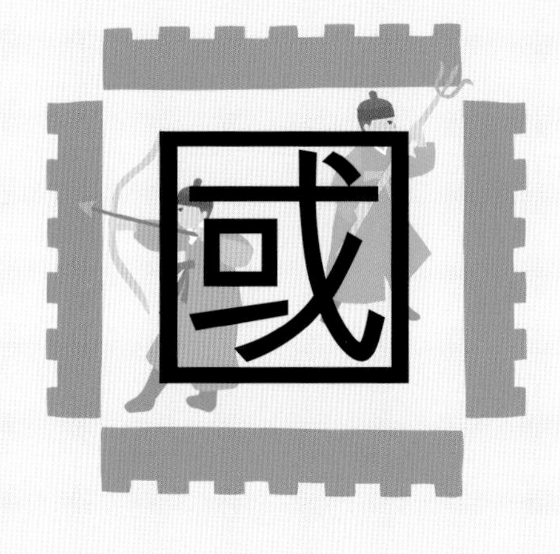

先 먼저 **선**

저의 꿈은 先생님이에요.

➔ 학생을 가르치는 직업을 가진 사람.

校 학교 **교**

중학생이 되면 校복을 입어요.

➔ 학교에서 입히는 옷.

學 배울 **학**

동생이 초등학교에 입學해요.

➔ 학교에 들어감.

敎 가르칠 **교**

敎실에서 수학 공부를 해요.

➔ 학교에서 학습 활동이 이루어지는 방.

8급

# 어휘 카드

生 날 **생**

학生들이 학교에서 공부를 해요.

➔ 학교에 다니며 공부하는 사람.

韓 한국/나라 **한**

고운 韓복을 입고 절을 해요.

➔ 한국 사람이 입는 전통 옷.

國 나라 **국**

國어를 아끼는 마음을 가져요.

➔ 한 나라의 국민이 쓰는 말.

民 백성 **민**

모든 국民은 평등해요.

➔ 한 나라를 이루는 사람들.

王 임금 **왕**

이성계는 새 王조를 세웠어요.

➔ 한 계통의 왕들이 다스리는 나라.

軍 군사 **군**

軍인은 나라를 지켜 주어요.

➔ 군에 속해 일하는 사람.

北

8급
한자 카드

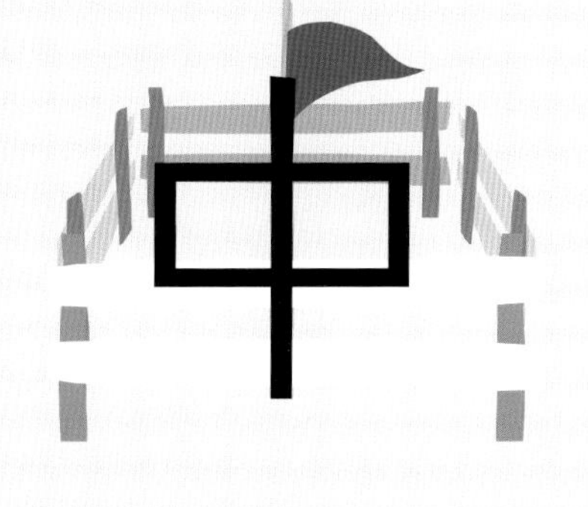

## 南 남녘 **남**

南대문 시장을 구경했어요.

➔ 서울 남쪽에 있는 큰 문.

## 西 서녘 **서**

西해는 물이 얕아요.

➔ 서쪽에 있는 바다.

## 東 동녘 **동**

東해는 물이 깊어요.

➔ 동쪽에 있는 바다.

## 大 큰 **대**

우리 형은 내년에 大학에 가요.

➔ 고등 교육을 하는 기관.

# 8급
# 어휘 카드

## 北 북녘 **북**/달아날 **배**

태풍이 北상하고 있어요.

➔ 북쪽을 향하여 올라감.

## 中 가운데 **중**

운동장의 中심에 서 있어요.

➔ 어떤 사물의 한가운데.

## 小 작을 **소**

숫자의 대小를 비교해요.

➔ 크고 작음.

## 年 해 **년**

빈칸에 생年월일을 써요.

➔ 태어난 해, 달, 날.

## 萬 일만 **만**

제 친구는 萬능 재주꾼이에요.

➔ 무슨 일이든 다 할 수 있는 것.

## 外 바깥 **외**

外국어 공부를 열심히 해요.

➔ 다른 나라의 말.